욕심쟁이
한국어 단어집 초급 1500

よくばり
韓国語単語帳初級
1500

洪 妍定・全 相律・申 知元

HAKUEISHA

よくばり韓国語単語帳初級 1500

　言語学習の初期段階では、文法よりも語彙学習のほうがずっと重要です。例えば、初めて韓国を訪ね、食堂に入ったとしましょう。たまたまテーブルに箸がなかったら、「**죄송하지만 여기 젓가락 좀 가져다주시겠어요?** (すみませんが、お箸を持ってきていただけないでしょうか)」と完璧な文で従業員に声を掛けなくても、「**젓가락** (箸)」という単語だけ伝えれば、箸がほしいという要望がスムーズに伝わります。そして、知っている単語が増えれば増えるほど、韓国語学習の達成感やコミュニケーションの自信もつきます。

　この単語帳は、延世大学の**강현화** (カンヒョンファ) 先生を代表とする韓国語教育専門家が行った韓国国立国語院「韓国語教育語彙内容開発 (1 段階)」の研究成果を土台に作られました。「韓国語教育語彙内容開発 (1 段階)」は、日常生活の必須単語、韓国の主要大学機関の教科書や韓国語能力試験の頻出単語を基にして、頻度や重複度、専門家の意見などを総合的に反映し、まとめたものです。3 人の共著者は、この研究成果を日本の皆さんにも紹介したいと考え、日本人韓国語学習者に向けて 1,500 語程度の初級レベルの重要単語を選定しました。さらに、単語の例文にも工夫をこらし、実際の会話でよく使う文を中心に単語の使用法を紹介しています。そのためこの単語帳は、韓国への旅行や留学を考えている方、韓国語能力試験及びハングル検定試験などの資格に向けて勉強をしている方、韓国人と簡単な会話をしてみたいと思っている方など、多様な目的に対応できる一冊です。

3人の共著者は、日本の大学で韓国語教育に携わっていますが、文字の学習を終えてすぐ出くわす単語の量に圧倒され、苦戦している学生をよく見かけます。学生たちからは「先生、何を優先して覚えるべきですか」という質問をよく受けてきました。この単語帳がその答えになっていたら嬉しく思います。

　本書の出版を喜んで引き受けてくださった博英社と同日本法人の中嶋啓太代表、色々なリクエストに応えてくださった編集者の西田明梨氏、日本語の修正をしてくださった北琢磨先生、読者の立場でフィードバックをしてくれた神田外語大学韓国語専攻4年生の丸山凜佳さん、3年生の五十嵐帆佳さん、いつも私たちを応援してくださる韓国語専攻の浜之上幸先生と権容璟先生に感謝を申し上げます。最後に、この単語帳が完成するまで一つになって共に努力してきた共著者の全相律先生と申知元先生にも感謝の気持ちを申し上げます。

　どうか、この単語帳が皆さんの韓国語学習の良い出発点になりますように！

洪妍定（ホンヨンジョン）

この単語帳の見方

🎧 1355	**착하다** [차카다]	形	優しい、善良だ	反	나쁘다, 못되다
		類	선하다		※ 착합니다, 착해요, 착하면

例 제 친구들은 다 착해요.
　 私の友達はみんな優しいです。

音声番号：QR コードをスキャンすると発音フォルダが開きます。
　　　　　その中で、該当番号を再生すると単語の発音を聞くことができます。

発　　音：濃音化、激音化、鼻音化、流音化の発音規則が適応され、発音が変わるものは［　］の中に発音を表記しました。

品詞分類：名詞、動詞、形容詞など単語の品詞を表示し、二つの品詞をもつ場合は、［名 / 副］のように提示しました。すべての品詞分類は韓国標準国語辞書を基準としています。

意　　味：単語の意味を品詞の後ろに表示しました。また、「거리 01（街、通り）」「거리 02(距離)」のように文字は同じでも意味が異なる場合、01, 02 のように番号で区別しています。

反対語・類似語：反対語は意味の右側に、類似語は意味の下に提示しました。

活　用　形：動詞や形容詞に場合、- ㅂ / 습니다 , - 아 / 어요 , -(으) 면の形を提示しました。これはパッチムの有無や母音

の種類によって変化する活用形を提示するためです。
ただし、「잘생기다」のように主に過去形で使われる単語は過去形のみ表記しました。

🎧 1334 **잘생기다**　　　[形] イケメンだ　　　[反] 못생기다

※ 잘생겼습니다, 잘생겼어요, 잘생겼으면

[例]　그 배우는 정말 잘생겼어요.
　　　その俳優はとてもイケメンです。

口　　語：話し言葉で単語の形が変わる場合は、その形を表示しました。

🎧 0095 **그것**　　　[名] それ

　　　　　　　　　　　　　[口] 그거

[例]　그것은 무엇입니까?
　　　それは何ですか。

縮　　約：単語が縮約形を持っている場合、その形を表示しました。

🎧 0640 **이야기**　　　[名] 話　　　[縮] 얘기

[例]　어제 재미있는 이야기를 들었어요.
　　　昨日面白い話を聞きました。

全体音声は、QR コードを
スキャンするとダウンロードいただけます。

目次

名詞の音声は、QR コードを
スキャンするとダウンロードいただけます。

1

名詞

🎧 0001	**가게**	名 店
		類 상점
例	학교 근처에 가게가 많이 있어요.	
	学校の近くにお店がたくさんあります。	

🎧 0002	**가격**	名 価格、値段
		類 값
例	이 식당은 가격이 비싸요.	
	この食堂は値段が高いです。	

🎧 0003	**가구**	名 家具
例	방에 가구가 없어요.	
	部屋に家具がありません。	

🎧 0004	**가방**	名 カバン
例	이 가방을 자주 들어요.	
	このカバンをよく使います。	

🎧 0005	**가수**	名 歌手
例	저 가수는 노래를 잘해요.	
	あの歌手は歌が上手です。	

🎧 0006	**가슴**	名 胸
例	가슴이 아파요.	
	胸が痛いです。	

ㄱ

0007 가운데　[名] 中、真ん中
　　　　　　　　[類] 중간

[例]　방 가운데에 테이블이 있어요.
　　　部屋の真ん中にテーブルがあります。

0008 가위　[名] ハサミ

[例]　가위로 자르세요.
　　　ハサミで切ってください。

0009 가을　[名] 秋

[例]　가을 하늘이 예뻐요.
　　　秋の空がきれいです。

0010 가족　[名] 家族
　　　　　　　　[類] 식구

[例]　우리 가족은 모두 네 명이에요.
　　　私の家族は合わせて4人です。

0011 간식　[名] おやつ、間食

[例]　간식으로 과자를 먹어요.
　　　おやつにお菓子を食べます。

0012 간호사　[名] 看護師

[例]　언니는 간호사예요.
　　　お姉さんは看護師です。

0013 갈색
[갈쌕]
名 茶色

例 머리 색이 갈색이에요.
髪色は茶色です。

0014 감기
名 風邪

例 어제 감기에 걸렸어요.
昨日風邪を引きました。

0015 감사
名 感謝

例 선생님께 감사의 편지를 썼습니다.
先生に感謝の手紙を書きました。

0016 값
名 値段
類 가격, 요금

例 값이 비싸요.
値段が高いです。

0017 강
名 川

例 이 강을 건너면 강남이에요.
この川を渡ると江南です。

0018 강아지
名 犬、子犬

例 강아지를 키우고 있어요.
犬を飼っています。

ㄱ

0019 개 名 犬

例 우리 집 개는 커요.
我が家の犬は大きいです。

0020 거기 名 そこ

例 거기에서 기다리세요.
そこで待ってください。

0021 거리01 名 街、通り
類 길

例 이 거리에는 옷 가게가 많이 있어요.
この通りには洋服屋がたくさんあります。

0022 거리02 名 距離

例 학교까지 거리가 가까워요.
学校まで距離が近いです。

0023 거실 名 リビング、居間

例 텔레비전은 거실에 있어요.
テレビはリビングにあります。

0024 거울 名 鏡

例 거울을 보면서 화장을 해요.
鏡を見ながら化粧をします。

0025	거절	名	断り	反	승낙, 수락
		類	거부		

例 저는 거절을 잘 못해요.
私はあまり断れません。

0026	거짓말 [거진말]	名	嘘

例 남동생에게 거짓말을 했어요.
弟に嘘をつきました。

0027	걱정 [걱쩡]	名	心配

例 비가 많이 와서 걱정이에요.
大雨で心配です。

0028	건강	名	健康

例 요즘 건강 관리를 하고 있어요.
最近健康管理をしています。

0029	건너편	名	向かい側
		類	맞은편

例 길 건너편에 영화관이 있어요.
道の向かい側に映画館があります。

0030	건물	名	建物

例 학교 안에 새 건물을 짓고 있어요.
校内に新しい建物を建てています。

ㄱ

0031 검사

名 検査、チェック

例 지금부터 숙제 검사를 하겠습니다.
今から宿題のチェックをします。

0032 검은색

名 黒色

類 까만색, 검정색

例 검은색 차를 샀어요.
黒色の車を買いました。

0033 것

名 もの

口 거

例 저기에 있는 것이 뭐예요?
あそこにあるものは何ですか。

0034 겉

名 表面、表

反 안, 속

類 바깥

例 봉투 겉에 이름을 써 주세요.
封筒の表に名前を書いてください。

0035 게임

名 ゲーム

例 저는 온라인 게임을 자주 해요.
私はオンラインゲームをよくします。

0036 겨울

名 冬

例 겨울 방학에 스키를 배우려고 해요.
冬休みにスキーを学ぼうと思います。

0037	결과	名 結果

例 다음 주에 시험 결과가 나와요.
来週、試験結果が出ます。

0038	결석 [결썩]	名 欠席	反 출석

例 더 이상 결석을 하면 안 돼요.
これ以上欠席してはいけません。

0039	결심 [결씸]	名 決心

例 고민 끝에 결심했어요.
悩んだ末に決心しました。

0040	결정 [결쩡]	名 決定、決まり

例 회사의 결정에 따르겠습니다.
会社の決定に従います。

0041	결혼	名 結婚	反 이혼
		類 혼인	

例 저는 빨리 결혼을 하고 싶어요.
私は早く結婚したいです。

0042	경기	名 競技
		類 시합

例 내일 한국과 일본의 축구 경기가 있습니다.
明日韓国と日本のサッカー競技があります。

ㄱ

| 0043 | **경찰** | 名 | 警察 |
| | | 類 | 경찰관 |

例 　경찰이 범인을 잡았습니다.
　　警察が犯人を捕まえました。

| 0044 | **경치** | 名 | 景色 |
| | | 類 | 풍경 |

例 　제주도는 경치가 아름답습니다.
　　済州島は景色がきれいです。

| 0045 | **경험** | 名 | 経験 |

例 　외국 생활을 한 경험이 있어요?
　　外国生活をした経験がありますか。

| 0046 | **계단** | 名 | 階段 |

例 　엘리베이터 대신 계단을 이용하고 있어요.
　　エレベーターの代わりに階段を利用しています。

| 0047 | **계란** | 名 | 卵 |
| | | 類 | 달걀 |

例 　저는 계란 요리를 좋아해요.
　　私は卵料理が好きです。

| 0048 | **계산** | 名 | 計算、支払い、会計 |
| | | 類 | 지불 |

例 　계산은 카드로 할게요.
　　お会計はカードにします。

🎧 0049	**계절**	名 季節

例 어느 계절을 좋아하세요?
どの季節がお好きですか。

🎧 0050	**계획**	名 計画

例 친구와 여행 계획을 세웠어요.
友達と旅行計画を立てました。

🎧 0051	**고기**	名 肉

例 고기를 먹고 싶어요.
お肉が食べたいです。

🎧 0052	**고등학교** [고등학꾜]	名 高等学校、高校 類 고교

例 작년에 고등학교를 졸업했어요.
去年高校を卒業しました。

🎧 0053	**고등학생** [고등학쌩]	名 高校生 類 고교생

例 제 여동생은 고등학생이에요.
私の妹は高校生です。

🎧 0054	**고민**	名 悩み

例 친구에게 고민을 말했어요.
友達に悩みを話しました。

0055	**고속버스**	名 高速バス

例 부산까지 고속버스로 갔어요.
釜山まで高速バスで行きました。

0056	**고양이**	名 猫

例 집에서 고양이를 키우고 있어요.
家で猫を飼っています。

0057	**고장**	名 故障

例 핸드폰이 고장이 났어요.
携帯が故障しました。

0058	**고향**	名 故郷

例 연휴에 고향에 돌아가요.
連休に故郷に帰ります。

0059	**곳**	名 ところ 類 장소, 데

例 저 카페는 제가 자주 가는 곳이에요.
あのカフェは私がよく行くところです。

0060	**공무원**	名 公務員

例 아버지는 공무원이에요.
父は公務員です。

0061 **공부** 名 勉強

例 한국어 공부가 재미있어요.
韓国語の勉強が面白いです。

0062 **공원** 名 公園

例 공원을 산책했어요.
公園を散歩しました。

0063 **공짜** 名 ただ
類 무료

例 영화표를 공짜로 받았어요.
映画のチケットをただでもらいました。

0064 **공책** 名 ノート
類 노트

例 숙제 공책이 필요해요.
宿題のノートが必要です。

0065 **공항** 名 空港

例 공항에서 비행기를 타요.
空港で飛行機に乗ります。

0066 **공휴일** 名 公休日、祝日

例 내일은 공휴일이에요.
明日は公休日です。

ㄱ

🎧 0067	**과거**	名 過去

例 과거보다 미래가 더 중요해요.
過去より未来がもっと大事です。

🎧 0068	**과일**	名 果物

例 신선한 과일을 먹고 싶어요.
新鮮な果物を食べたいです。

🎧 0069	**과자**	名 菓子

例 간식으로 과자를 먹었어요.
おやつにお菓子を食べました。

🎧 0070	**관계**	名 関係
		類 관련

例 이 일은 저와 관계가 없습니다.
このことは私とは関係がありません。

🎧 0071	**관광**	名 観光
		類 구경

例 여행을 가서 관광을 했어요.
旅行に行って観光をしました。

🎧 0072	**관심**	名 関心　　　反 무관심

例 저는 패션에 관심이 있어요.
私はファッションに関心があります。

0073 **광고** 名 広告

例 텔레비전 광고에서 봤어요.
テレビの広告で見ました。

0074 **교과서** 名 教科書

例 시험 전에 교과서를 공부해요.
試験前に教科書を勉強します。

0075 **교사** 名 教師
類 선생님

例 저는 영어 교사가 되고 싶어요.
私は英語の教師になりたいです。

0076 **교수** 名 教授

例 할아버지는 대학 교수였습니다.
おじいさんは大学の教授でした。

0077 **교실** 名 教室

例 교실에서 수업을 듣습니다.
教室で授業を受けます。

0078 **교육** 名 教育

例 글로벌 시대에 외국어 교육은 중요합니다.
グローバル時代に外国語教育は重要です。

ㄱ

0079 교통 名 交通

例 이 집은 교통이 편리해요.
この家は交通が便利です。

0080 교통사고 名 交通事故

例 저기에서 교통사고가 났어요.
あそこで交通事故が起きました。

0081 교환 名 交換

例 옷이 작은데 교환이 돼요?
服が小さいんですが、交換できますか。

0082 교회 名 教会

例 저는 주말마다 교회에 가요.
私は毎週末教会に行きます。

0083 구경 名 見物

例 친구와 서울 시내를 구경했어요.
友達とソウル市内を見物しました。

0084 구두 名 靴

例 어제 산 구두를 신었어요.
昨日買った靴を履きました。

0085 **구름** 名 雲

例 비는 안 오지만 구름이 많아요.
雨は降っていませんが雲が多いです。

0086 **국** 名 汁、汁物、スープ

例 국이 뜨거우니까 천천히 드세요.
汁が熱いのでゆっくり召し上がってください。

0087 **국내**
[궁내] 名 国内　　反 国外

例 신혼 여행은 국내로 가요.
新婚旅行は国内に行きます。

0088 **국수**
[국쑤] 名 麺、麺料理の総称
類 면

例 저는 밥보다 국수를 좋아해요.
私はごはんより麺が好きです。

0089 **국적**
[국쩍] 名 国籍

例 여기에 이름과 국적을 쓰세요.
ここに名前と国籍を書いてください。

0090 **국제**
[국쩨] 名 国際

例 국제 전화는 요금이 비싸요.
国際電話は料金が高いです。

0091	**군인**	名 軍人

ㄱ

例 오빠는 군인이에요.
兄は軍人です。

0092	**귀**	名 耳

例 음악 소리가 커서 귀가 아파요.
音楽の音量が大きくて、耳が痛いです。

0093	**귀걸이**	名 イヤリング、ピアス
		類 귀고리

例 외출할 때는 귀걸이를 해요.
外出する際にはイヤリングをします。

0094	**규칙**	名 規則、ルール

例 경기 규칙이 복잡해요.
試合のルールが複雑です。

0095	**그것**	名 それ
		ロ 그거

例 그것은 무엇입니까?
それは何ですか。

0096	**그곳**	名 そこ

例 그곳에서 기다려 주세요.
そこで待っていてください。

0097	**그날**	名 (指す時) その日、(既知の) あの日

例 그날은 파티에 참가 못 해요.
その日はパーティーに参加できません。

0098	**그동안**	名 その間、今まで

例 그동안 연락을 못 해서 미안해요.
今まで連絡できなくてごめんなさい。

0099	**그때**	名 (指す時) その時、(既知の) あの時

例 그럼, 그때 만나요.
では、その時に会いましょう。

0100	**그림**	名 絵

例 미술관에서 유명한 화가의 그림을 봤습니다.
美術館で有名な画家の絵を見ました。

0101	**그릇**	名/助数 皿、器

例 반찬 그릇을 샀어요.
おかずの器を買いました。

0102	**그분**	名 (指す時) その方、(既知の) あの方

例 그분은 누구세요?
その方はどなたですか。

ㄱ

0103 **그쪽** 名 そちら

例 제가 그쪽으로 가겠습니다.
私がそちらに行きます。

0104 **극장**
[극짱]
名 劇場、映画館
類 영화관

例 친구하고 극장에서 영화를 봤어요.
友達と映画館で映画を見ました。

0105 **근처**
名 近所、近く
類 근방, 인근

例 저는 학교 근처에 살아요.
私は学校の近くに住んでいます。

0106 **글**
名 文

例 글을 읽고 질문에 답하십시오.
文を読んで、質問に答えてください。

0107 **금요일**
名 金曜日

例 이번 주 금요일에는 캠핑을 가요.
今週の金曜日にはキャンプに行きます。

0108 **금지**
名 禁止

例 이곳은 출입 금지입니다.
この場所は立ち入り禁止です。

0109 기간　名　期間

例　등록 기간은 언제부터 언제까지예요?
登録期間はいつからいつまでですか。

0110 기분　名　気分

例　오늘은 기분이 좋아요.
今日は気分がいいです。

0111 기숙사　名　寮、寄宿舎
　　[기숙싸]

例　저는 지금 학교 기숙사에 살고 있어요.
私は今学校の寮に住んでいます。

0112 기억　名　記憶

例　부산 여행이 가장 기억에 남아요.
釜山旅行が一番記憶に残っています。

0113 기온　名　気温

例　오늘 낮 기온은 높지 않습니다.
今日の昼の気温は高くありません。

0114 기자　名　記者

例　제 꿈은 신문 기자입니다.
私の夢は新聞記者です。

ㄱ

| 0115 | **기차** | 名 | 汽車、(長距離) 列車 |

例 부산에는 기차를 타고 갔어요.
釜山には列車に乗って行きました。

| 0116 | **기침** | 名 | 咳 |

例 감기에 걸려서 기침이 나요.
風邪を引いて咳が出ます。

| 0117 | **기타** | 名 | ギター |

例 저는 가끔 기타를 칩니다.
私は時々ギターを弾きます。

| 0118 | **기회** | 名 | 機会、チャンス |

例 기회가 있으면 한국에서 살아 보고 싶어요.
機会があれば、韓国に住んでみたいです。

| 0119 | **긴장** | 名 | 緊張 |

例 시험 전에는 항상 긴장이 돼요.
試験の前にはいつも緊張します。

| 0120 | **길** | 名 | 道 |

例 길을 몰라서 물어봤어요.
道が分からなくて聞いてみました。

0121 까만색

名 黒色　　反 하얀색, 흰색

類 검정색, 검은색

例 면접이 있어서 까만색 정장을 샀어요.
面接があって黒いスーツを買いました。

0122 꽃

名 花

例 예쁜 꽃이 피었어요.
きれいな花が咲きました。

0123 꽃다발
[꼳따발]

名 花束

例 졸업식 때 꽃다발을 선물받았어요.
卒業式の時花束をプレゼントしてもらいました。

0124 꿈

名 夢

例 제 꿈은 선생님이에요.
私の夢は先生です。

0125 끝

名 終わり　　反 시작, 처음

類 마지막

例 오늘로 아르바이트도 끝이에요.
今日でアルバイトも終わりです。

0126	**나**	名	私

例 나는 그렇게 생각해.
私はそう思う。

0127	**나라**	名	国
		類	국가

例 어느 나라 사람이에요?
どの国の人ですか。

0128	**나머지**	名	余り、残り
		類	여분

例 여기까지만 하고, 나머지는 다음에 합시다.
ここまでにして、残りは次にしましょう。

0129	**나무**	名	木

例 공원에는 나무가 많아요.
公園には木がたくさんあります。

0130	**나이**	名	年齢、歳
		類	연령

例 나이가 몇 살이에요?
年齢はおいくつですか。

0131	**나중**	名	後
		類	이다음

例 나중에 다시 이야기해요.
後でまた話しましょう。

0132 **나흘** 名 四日

例 나흘 동안 여행을 했어요.
四日間旅行をしました。

0133 **낚시** [낙씨] 名 釣り

例 아버지의 취미는 낚시입니다.
父の趣味は釣りです。

0134 **날씨** 名 天気

例 날씨가 좋아요.
天気がいいです。

0135 **날짜** 名 日付

例 시험 날짜를 다시 확인해 보세요.
試験の日付をもう一度確認してみてください。

0136 **남** 名 他人
類 타인

例 남과 비교하지 마세요.
人と比較しないでください。

0137 **남녀** 名 男女

例 이 학교는 남녀 공학이에요.
この学校は男女共学です。

0138 남동생 名 弟

例 여동생은 없고 남동생만 있어요.
妹はいなくて、弟だけいます。

0139 남자 名 男、男子
類 남성

例 우리 반에는 남자가 별로 없어요.
うちのクラスには男子があまりいません。

0140 남쪽 名 南、南側

例 남쪽 지역은 여기보다 더워요.
南の地域はここより暑いです。

0141 남편 名 夫、旦那

例 남편이 저보다 요리를 잘해요.
夫が私より料理が上手です。

0142 낮 名 昼　　反 밤

例 아침에는 춥지만 낮에는 따뜻해요.
朝は寒いですが、昼は暖かいです。

0143 낮잠 名 昼寝
[낟짬]

例 아기가 낮잠을 자요.
赤ちゃんが昼寝をします。

ㄴ

0144 **내년** 名 来年

例 내년 봄에 유학을 가요.
来年の春に留学に行きます。

0145 **내용** 名 内容

例 수업 내용이 어려워요.
授業内容が難しいです。

0146 **내일** 名/副 明日

例 오늘말고 내일은 어때요?
今日じゃなくて明日はどうですか。

0147 **냉장고** 名 冷蔵庫

例 냉장고 안에 물밖에 없어요.
冷蔵庫の中に水しかありません。

0148 **너** 名 君、あなた

例 너를 만나서 다행이야.
君に会えてよかった。

0149 **넥타이** 名 ネクタイ
類 타이

例 오늘은 넥타이를 맸네요.
今日はネクタイを締めましたね。

ㄴ

0150 노란색 | 名 黄色
類 노랑

例 노란색 우산을 샀어요.
黄色の傘を買いました。

0151 노래 | 名 歌

例 저는 한국 노래를 자주 들어요.
私は韓国の歌をよく聞きます。

0152 노래방 | 名 カラオケ

例 친구하고 노래방에 갔어요.
友達とカラオケに行きました。

0153 노력 | 名 努力

例 성공에는 많은 노력이 필요해요.
成功には多くの努力が必要です。

0154 노인 | 名 老人、年寄り 反 젊은이

例 노인을 공경해야 합니다.
お年寄りを尊敬しなければなりません。

0155 노트 | 名 ノート
類 공책

例 숙제 노트를 샀어요.
宿題のノートを買いました。

0156 녹색 [녹쌕]

名 緑色

類 초록색

例 녹색 채소를 먹어야 합니다.
緑の野菜を食べなければなりません。

0157 녹차

名 緑茶

例 저는 홍차보다 녹차를 좋아해요.
私は紅茶より緑茶が好きです。

0158 놀이

名 遊び

例 민속촌에서 전통 놀이를 체험했어요.
民俗村で伝統遊びを体験しました。

0159 농구

名 バスケットボール

例 주말에는 친구들하고 농구를 해요.
週末には友達とバスケットボールをします。

0160 농담

名 冗談   反 진담

例 농담이에요.
冗談です。

0161 높이

名 高さ

例 책상 높이를 알려 주세요.
机の高さを教えてください。

0162	**누구**	名 誰

例 누구세요?
どちら様ですか。

ㄴ

0163	**누나**	名 （男性から）姉

例 누나는 저보다 두 살 많아요.
姉は私より2歳年上です。

0164	**눈**01	名 目

例 건조해서 눈이 아파요.
乾燥して目が痛いです。

0165	**눈**02	名 雪

例 크리스마스에 눈이 올까요?
クリスマスに雪が降るでしょうか。

0166	**눈물**	名 涙

例 영화가 슬퍼서 눈물이 났어요.
映画が悲しくて涙が出ました。

0167	**뉴스**	名 ニュース

例 저는 매일 뉴스를 봐요.
私は毎日ニュースを見ます。

0168	**느낌**	名 感じ、感
		類 감

例 친구 같은 느낌이 들었어요.
友達のような感じがしました。

0169	**능력** [능녁]	名 能力

例 이번 주말에 한국어능력시험을 봐요.
今週末に韓国語能力試験を受けます。

ㄷ

0170 **다리₀₁** 名 脚

例 다리가 길어요.
脚が長いです。

0171 **다리₀₂** 名 橋

例 다리를 건너면 강남이에요.
橋を渡れば江南です。

0172 **다음** 名 次

例 다음을 읽고 질문에 답하세요.
次を読んで、質問に答えてください。

0173 **다이어트** 名 ダイエット

例 다이어트를 시작했어요.
ダイエットを始めました。

0174 **단어** 名 単語
類 어휘

例 저는 매일 단어를 외워요.
私は毎日単語を覚えます。

0175 **단풍** 名 紅葉

例 단풍이 예쁘네요.
紅葉がきれいですね。

0176 **달**01 名/助数 月

例 오늘은 달이 밝네요.
今日は月が明るいですね。

0177 **달**02 名/助数 月

例 이번 달은 약속이 많아요.
今月は約束が多いです。

0178 **달걀** 名 卵
類 계란

例 저는 삶은 달걀을 좋아해요.
私はゆで卵が好きです。

0179 **달력** 名 カレンダー

例 달력에 일정을 적었어요.
カレンダーに日程を書きました。

0180 **달리기** 名 走り、ランニング

例 저는 달리기가 빨라요.
私は走るのが速いです。

0181 **닭** 名 鶏

例 아침마다 닭이 울어요.
毎朝鶏が鳴きます。

ㄷ

⌒ 0182 **담배** | 名 タバコ

例 저는 담배를 안 피워요.
私はタバコを吸いません。

⌒ 0183 **답**01 | 名 返事、返信
類 대답

例 메시지를 보냈는데 답이 없어요.
メッセージを送りましたが、返事がありません。

⌒ 0184 **답**02 | 名 答え、正解
類 정답, 해답

例 이 문제는 답이 몇 번이에요?
この問題の答えは何番ですか。

⌒ 0185 **답장**
[답짱] | 名 返信
類 답신

例 친구한테서 답장을 받았어요.
友達から返信をもらいました。

⌒ 0186 **대답** | 名 答え、返事
類 답

例 빨리 대답을 해 주세요.
早く返事をしてください。

⌒ 0187 **대부분** | 名/副 大部分、大半、たいてい
類 대개

例 제 친구들 대부분이 유학에 관심이 있어요.
私の友人の大半が留学に興味があります。

| 0188 | **대사관** | 名 | 大使館 |

例 도쿄에 한국 대사관이 있어요.
東京に韓国大使館があります。

| 0189 | **대학교**
[대학꾜] | 名 | 大学 |
| | | 類 | 대학 |

例 우리 대학교는 캠퍼스가 예뻐요.
うちの大学はキャンパスがきれいです。

| 0190 | **대학생**
[대학쌩] | 名 | 大学生 |

例 저는 대학생입니다.
私は大学生です。

| 0191 | **대학원** | 名 | 大学院 |

例 졸업 후에 대학원에 가려고 해요.
卒業後に大学院に行こうと思います。

| 0192 | **대화** | 名 | 会話、対話 |

例 한국어로 간단한 대화는 할 수 있어요.
韓国語で簡単な会話はできます。

| 0193 | **대회** | 名 | 大会 |

例 매년 한국어 말하기 대회가 열립니다.
毎年韓国語スピーチ大会が開かれます。

🎧 0194 **댁**

| 名 | 宅 |
| 類 | 집 |

例 댁이 어디세요?
お宅はどちらですか。

🎧 0195 **덕분**
[덕뿐]

| 名 | お陰 |
| 類 | 덕, 덕택 |

例 친구들 덕분에 학교 생활이 재미있었어요.
友達のおかげで学校生活が楽しかったです。

C

🎧 0196 **데이트**

| 名 | デート |

例 이번 주말에 남자 친구와 데이트가 있어요.
今週末に彼氏とデートがあります。

🎧 0197 **도로**

| 名 | 道路 |
| 類 | 길 |

例 도로에 차가 많아요.
道路に車が多いです。

🎧 0198 **도서관**

| 名 | 図書館 |

例 도서관에서 책을 빌려요.
図書館で本を借ります。

🎧 0199 **도시**

| 名 | 都市、都会 |

例 고등학교 졸업 후에 도시로 나왔어요.
高校卒業後に都会に出ました。

0200 도움 名 助け

例 선생님께 도움을 많이 받았어요.
先生からたくさん助けてもらいました。

0201 도착 名 到着　反 출발

例 비행기는 몇 시 도착이에요?
飛行機は何時到着ですか。

0202 독서 [독써] 名 読書

例 제 취미는 독서예요.
私の趣味は読書です。

0203 돈 名 お金

例 시간은 있지만 돈이 없어요.
時間はありますが、お金がありません。

0204 동네 名 町　類 마을

例 우리 동네는 시골이에요.
私の町は田舎です。

0205 동물 名 動物

例 동물 병원에서 일해요.
動物病院で働いています。

0206 **동물원** 名 動物園

例 동물원에서 팬더를 봤어요.
動物園でパンダを見ました。

0207 **동생** 名 年下の兄弟、妹・弟

例 저는 동생이 둘 있어요.
私は年下の兄弟が二人います。

0208 **동시** 名 同時

例 모두 동시에 시작하세요.
みんな同時に始めてください。

ㄷ

0209 **동안** 名 間

例 방학 동안 혼자 여행을 했어요.
休みの間一人で旅行をしました。

0210 **동전** 名 コイン、硬貨

例 자판기에 동전을 넣어 주세요.
自販機に硬貨を入れてください。

0211 **동쪽** 名 東、東側

例 동쪽 바다가 푸르고 깨끗해요.
東の海が青くてきれいです。

0212 돼지　名　豚

例　할아버지는 시골에서 돼지를 키우세요.
祖父は田舎で豚を飼育しています。

0213 두부　名　豆腐

例　교토는 두부 요리가 유명해요.
京都は豆腐料理が有名です。

0214 두통　名　頭痛

例　두통이 심해요.
頭痛がひどいです。

0215 뒤01　名　(位置) 後ろ　反　앞

例　제 뒤에는 수아 씨가 앉아요.
私の後ろにはスアさんが座ります。

0216 뒤02　名　(時間) 後　反　전
類　후

例　그 사람은 한참 뒤에 왔어요.
その人はかなり後に来ました。

0217 드라마　名　ドラマ

例　주말에는 한국 드라마를 봐요.
週末には韓国ドラマを見ます。

등 0218　名　背中

例　등이 가려워요.
　　背中がかゆいです。

등산 0219　名　登山、山登り

ㄷ

例　저는 주말에 등산을 해요.
　　私は週末に登山をします。

디자인 0220　名　デザイン

例　디자인이 예뻐요.
　　デザインがきれいです。

딸 0221　名　娘

例　우리집은 딸이 둘이에요.
　　我が家は娘が二人います。

딸기 0222　名　イチゴ

例　주말에 딸기 잼을 만들었어요.
　　週末にイチゴジャムを作りました。

땀 0223　名　汗

例　운동을 해서 땀이 났어요.
　　運動をしたので、汗が出ました。

| 0224 | 땅 | 名 土、土地 |

例 집을 지으려고 땅을 샀어요.
家を建てようと土地を買いました。

| 0225 | 때 | 名 時 |

例 시간이 있을 때 다시 얘기해요.
時間があるときにまた話しましょう。

| 0226 | 떡 | 名 餅 |

例 설날에는 떡을 먹어요.
お正月には餅を食べます。

| 0227 | 뜻 | 名 意味 |
| | | 類 의미 |

例 단어 뜻을 알려 주세요.
単語の意味を教えてください。

| 0228 | **라디오** | 名 | ラジオ |

例 저는 가끔 라디오를 들어요.
私は時々ラジオを聞きます。

| 0229 | **라면** | 名 | ラーメン |

例 요리가 귀찮을 때 라면을 끓여요.
料理が面倒なときに (インスタント) ラーメンを作ります。

| 0230 | **레스토랑** | 名 | レストラン |
| | | 類 | 식당 |

例 이 레스토랑은 분위기가 참 좋네요.
このレストランは雰囲気がとてもいいですね。

ㄹ

0231 **마당**　名 庭

例　마당이 있는 집에서 살고 싶어요.
庭のある家に住みたいです。

0232 **마을**　名 町、村
類 동네

例　이 마을은 포도가 유명해요.
この町はぶどうが有名です。

0233 **마음**　名 心

例　그 사람은 정말 마음이 넓어요.
その人は本当に心が広いです。

0234 **마중**　名 出迎え、迎え　反 배웅

例　공항으로 친구를 마중 나갔어요.
空港に友達を迎えに行きました。

0235 **마지막**　名 最後、最終　反 시작, 처음
類 끝

例　이번 콘서트가 올해 마지막이에요.
今度のコンサートが今年最後です。

0236 **마트**　名 スーパーマーケット

例　마트에 들러서 장을 봤어요.
スーパーマーケットに寄って買い物をしました。

0237	**만화**	名 漫画

例 쉴 때는 만화를 보거나 게임을 해요.
休む時は漫画を読んだりゲームをしたりします。

0238	**말**01	名 言葉、話

例 한국어로 말을 해 보고 싶어요.
韓国語で話をしてみたいです

0239	**말**02	名 末　　反 초

例 학기 말은 바빠요.
学期末は忙しいです。

0240	**말씀**	名 お言葉

例 여러분들께 감사의 말씀을 드립니다.
皆様に感謝のお言葉を申し上げます。

0241	**맛**	名 味

例 그 주스는 무슨 맛이에요?
そのジュースは何の味ですか。

0242	**매표소**	名 切符売り場

例 영화관 매표소 앞에서 만나요.
映画館の切符売り場の前で会いましょう。

0243 **맥주**
[맥쭈]
名 ビール

例 가볍게 맥주 한잔 마실래요?
軽くビール杯を飲みますか。

0244 **머리**
名 頭、髪

例 머리가 아파요.
頭が痛いです。

0245 **메뉴**
名 メニュー

例 먼저 메뉴를 보고 결정해요.
まずメニューを見て決めましょう。

0246 **메모**
名 メモ

例 저는 메모를 하는 습관이 있어요.
私はメモを取る習慣があります。

0247 **메시지**
名 メッセージ

例 전화를 안 받아서 메시지를 남겼어요.
電話に出なかったので、メッセージを残しました。

0248 **메일**
名 メール

例 메일 주소 좀 알려 주세요.
メールアドレスを教えてください。

ㅁ

0249 **며칠** [名] 何日

例 오늘은 몇 월 며칠이에요?
今日は何月何日ですか。

0250 **명절** [名] (正月、お盆の) 祝日

例 명절에는 고향에 돌아갈 생각이에요.
祝日には故郷に帰るつもりです。

0251 **모기** [名] 蚊

例 모기에 물렸어요.
蚊に刺されました。

0252 **모습** [名] 姿

例 웃는 모습이 아버지를 닮았어요.
笑う姿が父に似ています。

0253 **모양** [名] 模様、形

例 케이크가 하트 모양이네요.
ケーキがハートの形ですね。

0254 **모임** [名] 集まり、会

例 금요일에는 동아리 모임이 있어요.
金曜日にはサークルの集まりがあります。

0255 모자 　名 帽子

例 저는 가끔 모자를 씁니다.
私は時々帽子をかぶります。

0256 목 　名 首、喉

例 스마트폰을 많이 봐서 목이 아파요.
スマホをたくさん見たので、首が痛いです。

0257 목걸이
[목꺼리] 　名 ネックレス

例 여자 친구 생일에 목걸이를 선물했어요.
彼女の誕生日にネックレスをプレゼントしました。

0258 목도리
[목또리] 　名 マフラー

例 할머니께서 목도리를 짜 주셨어요.
祖母がマフラーを編んでくれました。

0259 목소리
[목쏘리] 　名 声

例 감기에 걸려서 목소리가 안 나와요.
風邪をひいて声が出ません。

0260 목요일 　名 木曜日

例 이 드라마는 매주 목요일에 방송돼요.
このドラマは毎週木曜日に放送されます。

0261	**목욕**	名	入浴

例 자기 전에 목욕을 해요.
寝る前に入浴をします。

0262	**목적** [목쩍]	名 類	目的 목표

例 목적을 달성했어요.
目的を達成しました。

0263	**몸**	名	体

例 몸과 마음이 건강한 것이 제일이에요.
体と心が健康であることが一番です。

0264	**무게**	名	重さ

例 먼저 무게를 재겠습니다.
まず重さを測ります。

0265	**무료**	名 類	無料　反 유료 공짜

例 지금 가입하시면 물병을 무료로 드립니다.
今加入すると水筒を無料で差し上げます。

0266	**무릎**	名	膝

例 넘어져서 무릎을 다쳤어요.
転んで膝を怪我しました。

0267 **무엇** 名 何

　　　　　　　口 뭐

例 이것은 무엇입니까?
これは何ですか。

0268 **문** 名 ドア、扉、門

例 문 좀 닫아 주세요.
扉を閉めてください。

0269 **문제** 名 問題

例 시험 문제가 어려웠어요.
試験問題が難しかったです。

0270 **문화** 名 文化

例 한국 문화에 관심이 있어요.
韓国文化に関心があります。

0271 **물** 名 水

例 일어나면 물을 한 컵 마셔요.
起きたら、水を一杯飲みます。

0272 **물건** 名 品物、物

例 제 여동생은 물건을 잘 잃어버려요.
私の妹は物をよくなくします。

0273 물고기
[물꼬기]

名 (生き物としての) 魚

例 수족관에서 여러 물고기를 봤어요.
水族館でいろんな魚を見ました。

0274 미국

名 アメリカ、米国

例 방학에 미국에 가요.
(学校の) 休みにアメリカに行きます。

0275 미래

名 未来

例 아이의 미래에 대해 생각해요.
子どもの未来について考えます。

0276 미술관

名 美術館

例 주말에 국립 미술관에 가요.
週末に国立美術館に行きます。

0277 미용실

名 美容室
類 미장원

例 미용실에서 머리를 잘랐어요.
美容室で髪を切りました。

0278 밀가루
[밀까루]

名 小麦粉

例 밀가루 음식을 좋아해요.
小麦粉の食べ物が好きです。

ㅁ

0279 **밑**

名 底、下
類 아래

例 **가방은 책상 밑에 놓으세요.**
カバンは机の下に置いてください。

| 0280 | **바깥** | 名 外 | 反 안 |

例 바깥 공기가 차요.
外の空気が冷たいです。

| 0281 | **바깥쪽** | 名 外側 | 反 안쪽 |

例 창문 바깥쪽을 닦고 있어요.
窓の外側を拭いています。

| 0282 | **바다** | 名 海 |

例 친구와 바다로 여행을 가기로 했어요.
友達と海へ旅行に行くことにしました。

| 0283 | **바닥** | 名 底、床 |

例 저는 바닥에서 잘게요.
私は床で寝ます。

| 0284 | **바닷가** [바닫까] | 名 海辺 / 類 해변, 해안가 |

例 바닷가를 걸어요.
海辺を歩きます。

| 0285 | **바람** | 名 風 |

例 오늘은 바람이 세요.
今日は風が強いです。

ㅂ

0286	바지	名	ズボン

例 저는 치마보다 바지를 자주 입어요.
私はスカートよりズボンをよく履きます。

0287	박물관 [방물관]	名	博物館

例 박물관을 견학합니다.
博物館を見学します。

0288	박수 [박쑤]	名	拍手
		類	손뼉

例 다같이 박수를 쳐요.
みんなで拍手をします。

0289	밖	名	外、野外	反	안
		類	바깥		

例 집 밖에 나가요.
家の外に出ます。

0290	반01	名	半分
		類	절반

例 숙제를 반 정도 했어요.
宿題を半分くらいしました。

0291	반02	名	クラス、組

例 옆 반 친구와 이야기해요.
隣のクラスの友達と話します。

🎧 0292	**반대**	名	反対

例 반대 방향으로 가세요.
反対方向に行ってください。

🎧 0293	**반바지**	名	半ズボン

例 더워서 반바지를 입었어요.
暑くて半ズボンを履きました。

🎧 0294	**반지**	名	指輪

ㅂ

例 결혼 반지를 끼고 있어요.
結婚指輪をしています。

🎧 0295	**반찬**	名	おかず
		類	찬

例 반찬을 만들어요.
おかずを作ります。

🎧 0296	**발**	名	足

例 공을 발로 차요.
ボールを足で蹴ります。

🎧 0297	**발가락** [발까락]	名	足の指

例 아기가 발가락을 움직여요.
赤ちゃんが足の指を動かします。

0298 발바닥 [발빠닥]　名 足の裏

例 많이 걸어서 발바닥이 아파요.
たくさん歩いたので足の裏が痛いです。

0299 밤　名 夜　　反 낮

例 밤에는 길이 어두워요.
夜は道が暗いです。

0300 밥　名 ご飯
　　　　　類 식사

例 학생식당에서 밥을 먹어요.
学生食堂でご飯を食べます。

0301 방　名 部屋

例 방이 깨끗해요.
部屋がきれいです。

0302 방문01　名 部屋のドア

例 갑자기 방문을 열지 마세요.
いきなり部屋のドアを開けないでください。

0303 방문02　名 訪問

例 방문을 환영합니다.
訪問を歓迎します。

🎧 0304 **방법**　名　方法

例　사용 방법을 알고 싶어요.
使用方法が知りたいです。

🎧 0305 **방송**　名　放送

例　인터넷 방송에 출연해요.
インターネット放送に出演します。

🎧 0306 **방송국**　名　放送局

例　방송국 근처에는 연예인이 많아요.
放送局の近くには芸能人が多いです。

ㅂ

🎧 0307 **방학**　名　学校の休み

例　내일 여름 방학이 끝나요.
明日夏休みが終わります。

🎧 0308 **방향**　名　方向

例　반대 방향으로 가세요.
反対方向に行ってください。

🎧 0309 **배**₀₁　名　お腹

例　배가 아파요.
お腹が痛いです。

| 0310 | 배02 | 名 | 船 |
| | | 類 | 선박 |

例 제주도에 배를 타고 갔어요.
済州島へ船に乗って行きました。

| 0311 | 배03 | 名 | 梨 |

例 저는 사과보다 배를 더 좋아해요.
私はりんごより梨がもっと好きです。

| 0312 | 배달 | 名 | 配達、出前 |

例 치킨을 배달시켜요.
チキンを出前で頼みます。

| 0313 | 배드민턴 | 名 | バドミントン |

例 주말에 친구와 배드민턴을 쳤어요.
週末に友達とバドミントンをしました。

| 0314 | 배우 | 名 | 俳優 |

例 딸이 배우가 되었어요.
娘が俳優になりました。

| 0315 | 배탈 | 名 | 腹痛、食あたり、胃もたれ |

例 배탈이 나서 고생했어요.
お腹を壊して、苦労しました。

| 0316 | **백화점**
[배콰점] | 名 | 百貨店、デパート |

例 백화점 직원은 친절해요.
百貨店の職員は親切です。

| 0317 | **뱀** | 名 | 蛇 |

例 뱀이 개를 물었어요.
蛇が犬を噛みました。

| 0318 | **버릇** | 名 | 癖 |
| | | 類 | 습관 |

例 나쁜 버릇은 고쳐야 해요.
悪い癖は直さなければなりません。

| 0319 | **버스** | 名 | バス |

例 정류장에서 버스를 기다려요.
停留所でバスを待ちます。

| 0320 | **번호** | 名 | 番号 |

例 참가 번호를 확인해요.
参加番号を確認します。

0321	**벌써**	名	すでに、もう
		反	아직
		類	이미, 어느새

例 벌써 여름 방학이에요.
もう夏休みです。

ㅂ

0322 **벽**　名 壁

例　이 집은 벽이 얇아요.
この家は壁が薄いです。

0323 **변호사**　名 弁護士

例　제 꿈은 변호사가 되는 것입니다.
私の夢は弁護士になることです。

0324 **별**　名 星

例　오늘밤은 하늘에 별이 많아요.
今夜は空に星が多いです。

0325 **병**　名 病気
類 질병

例　스트레스 때문에 병이 났어요.
ストレスのせいで病気になりました。

0326 **병문안**　名 お見舞い
類 문병

例　친구가 입원을 해서 병문안을 갔어요.
友達が入院をしてお見舞いに行きました。

0327 **병원**　名 病院

例　아파서 병원에 입원했어요.
具合が悪くて病院に入院しました。

		名	普通
0328	**보통**		

例 분위기는 좋은데 맛은 보통이에요.
雰囲気はいいんですが、味は普通です。

		名	復習	反	예습
0329	**복습** [복씁]				

例 예습과 복습이 중요해요.
予習と復習が重要です。

		名	ボールペン
0330	**볼펜**		

例 공책과 볼펜을 준비하세요.
ノートとボールペンを準備してください。

		名	春
0331	**봄**		

例 봄은 따뜻해요.
春は暖かいです。

		名	封筒
0332	**봉투**		

例 편지 봉투를 엽니다.
手紙の封筒を開きます。

		名	親、両親
0333	**부모님**		

例 저는 부모님과 함께 살아요.
私は両親と一緒に住んでいます。

ㅂ

0334 **부부** 名 夫婦

例 지난달에 부부가 되었어요.
先月、夫婦になりました。

0335 **부분** 名 部分

例 배운 부분을 복습해요.
学んだ部分を復習します。

0336 **부엌** 名 キッチン、台所
類 주방

例 아침부터 부엌 청소를 했어요.
朝からキッチンの掃除をしました。

0337 **부자** 名 お金持ち
類 자산가, 재산가

例 큰 부자가 되고 싶어요.
大金持ちになりたいです。

0338 **분위기** 名 雰囲気

例 수업 분위기가 좋아요.
授業の雰囲気がいいです。

0339 **불01** 名 火

例 바람에 불이 꺼졌어요.
風で火が消えました。

| 0340 | 불₀₂ | 名 | 灯、明り、電気 |

例 자기 전에 불을 꺼 주세요.
寝る前に灯を消してください。

| 0341 | 비 | 名 | 雨 |

例 갑자기 비가 와서 우산을 샀어요.
突然雨が降ってきたので傘を買いました。

| 0342 | 비누 | 名 | 石鹸 |

例 비누로 손을 씻으세요.
石鹸で手を洗ってください。

| 0343 | 비밀 | 名 | 秘密 |

例 둘만의 비밀이 있어요.
二人だけの秘密があります。

| 0344 | 비행기 | 名 | 飛行機 |
| | | 類 | 항공기 |

例 비행기를 예약했어요.
飛行機を予約しました。

| 0345 | 빌딩 | 名 | ビル |
| | | 類 | 건물 |

例 역 앞에 빌딩을 짓고 있어요.
駅前にビルを建てています。

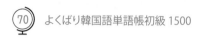
| 🎧 0346 | **빨래** | 名 | 洗濯物 |

例 바빠서 빨래가 쌓였어요.
忙しくて洗濯物が溜まりました。

| 🎧 0347 | **빵** | 名 | パン |

例 아침에는 빵을 먹어요.
朝はパンを食べます。

| 🎧 0348 | **빵집** [빵찝] | 名 | パン屋 |
| | | 類 | 제과점 |

例 집 근처에 유명한 빵집이 있어요.
家の近くに有名なパン屋があります。

0349 **사거리**
名 交差点
類 네거리

例 학교 앞 사거리를 건너고 있어요.
学校の前の交差点を渡っています。

0350 **사계절**
名 四季
類 사철

例 한국은 봄, 여름, 가을, 겨울 사계절이 다 예뻐요.
韓国は春夏秋冬すべての季節がきれいです。

0351 **사고**
名 事故

例 교통 사고가 났어요.
交通事故が起きました。

0352 **사과**
名 りんご

例 사과를 먹으려고 씻었어요.
りんごを食べようと洗いました。

0353 **사람**
名 人
類 인간

例 주말에는 사람이 많아요.
週末には人が多いです。

0354 **사랑**
名 愛、恋

例 사랑에 빠졌어요.
恋に落ちました。

ㅅ

| 0355 | **사무실** | 名 | 事務室、オフィス |
| | | 類 | 사무소 |

例 매일 사무실에 출근해요.
毎日オフィスに出勤します。

| 0356 | **사실** | 名/副 | 事実 | 反 | 거짓 |

例 사실대로 말하세요.
事実通りに話しなさい。

| 0357 | **사업** | 名 | 事業、ビジネス |

例 아버지는 사업을 하고 있어요.
父はビジネスをやっています。

| 0358 | **사용** | 名 | 使用 |
| | | 類 | 이용 |

例 사용 방법을 설명하겠습니다.
使用方法を説明します。

| 0359 | **사이** | 名 | 仲、関係 |
| | | 類 | 관계 |

例 친구와 사이가 좋아요.
友達と仲がいいです。

| 0360 | **사이즈** | 名 | サイズ |
| | | 類 | 치수, 크기 |

例 이 옷은 사이즈가 조금 커요.
この服はサイズが少し大きいです。

| 0361 | **사장** | 名 社長 |

例 사장님께 보고했습니다.
社長に報告しました。

| 0362 | **사전** | 名 辞書 |

例 모르는 단어는 사전에서 찾아보세요.
知らない単語は辞書で探してみてください。

| 0363 | **사진** | 名 写真 |

例 지난주에 졸업 사진을 찍었어요.
先週、卒業写真を撮りました。

人

| 0364 | **사탕** | 名 飴 |
| | | 類 캔디 |

例 아이에게 사탕을 주었어요.
子どもに飴をあげました。

| 0365 | **사흘** | 名 三日 |

例 사흘 동안 연락이 없었어요.
三日間連絡がありませんでした。

| 0366 | **산** | 名 山 |

例 주말에는 산에 올라가요.
週末には山に登ります。

0367　**산책**　名　散歩、散策

例　식사 후에 산책을 했어요.
食事の後に散歩をしました。

0368　**살**　名　肉

例　요즘 살이 쪘어요.
最近、太りました。

0369　**삼거리**　名　三差路
　　　　　類　세거리

例　앞으로 가면 삼거리가 나와요.
前に進むと三差路に出ます。

0370　**삼촌**　名　叔父、伯父

例　삼촌한테서 용돈을 받았어요.
叔父（伯父）からお小遣いをもらいました。

0371　**상**　名　賞　　反　벌

例　운동회에서 상을 탔어요.
運動会で賞を取りました。

0372　**상자**　名　箱
　　　　　類　박스

例　선물을 상자에 넣었어요.
プレゼントを箱に入れました。

0373 상처

名 傷

例 넘어져서 상처가 났어요.
転んで傷ができました。

0374 상품

名 商品
類 물건

例 이번 시즌 인기 상품이에요.
今シーズンの人気商品です。

0375 새

名 鳥

例 새가 하늘을 날아가요.
鳥が空を飛びます。

0376 새벽

名 夜中、夜明け、明け方

例 축구를 보려고 새벽 두 시에 일어났어요.
サッカーを見ようと夜中２時に起きました。

0377 새해

名 新年
類 신년

例 새해 복 많이 받으세요.
新年明けましておめでとうございます。

0378 색

名 色
類 색깔, 색채

例 좋아하는 색이 뭐예요?
好きな色は何ですか。

| 0379 | **생선** | 名 （食べ物としての）魚 |
| | | 類 물고기 |

例 생선을 구워서 먹었어요.
　魚を焼いて食べました。

| 0380 | **생신** | 名 お誕生日 |

例 아버지, 생신 축하드려요.
　お父さん、お誕生日おめでとうございます。

| 0381 | **생일** | 名 誕生日 |
| | | 類 생일날 |

例 친구 생일 파티가 있어요.
　友達の誕生日パーティーがあります。

| 0382 | **생활** | 名 生活 |

例 대학 생활은 어때요?
　大学生活はどうですか。

| 0383 | **샤워** | 名 シャワー |

例 집에 와서 바로 샤워를 했어요.
　家に帰ってすぐシャワーをしました。

| 0384 | **서랍** | 名 引き出し |

例 서둘러 서랍을 닫았어요.
　急いで引き出しを閉めました。

| 0385 | **서류** | 名 | 書類 |
| | | 類 | 문서 |

例　내일까지 서류를 제출해 주세요.
明日まで書類を提出してください。

| 0386 | **서비스** | 名 | サービス |

例　이 가게는 서비스가 좋아요.
このお店はサービスがいいです。

| 0387 | **서양** | 名 | 西洋 | 反 | 동양 |

例　서양 역사를 공부하고 있어요.
西洋の歴史を勉強しています。

| 0388 | **서점** | 名 | 本屋 |
| | | 類 | 책방 |

例　동네 서점이 점점 없어지고 있어요.
町の本屋がどんどん無くなっています。

| 0389 | **서쪽** | 名 | 西、西側 |

例　서쪽에서 바람이 붑니다.
西から風が吹きます。

| 0390 | **선물** | 名 | プレゼント |

例　크리스마스 선물을 받았어요.
クリスマスプレゼントをもらいました。

| 0391 | **선생님** | 名 | 先生 |
| | | 類 | 교사 |

例 한국어 선생님은 항상 친절하게 가르쳐 주세요.
韓国語の先生はいつも親切に教えてくれます。

| 0392 | **선수** | 名 | 選手 |

例 수영 선수로 뽑혔어요.
水泳の選手として選ばれました。

| 0393 | **선택** | 名 | 選択 |

例 선택의 순간이 왔어요.
選択の瞬間が来ました。

| 0394 | **선풍기** | 名 | 扇風機 |

例 더워서 선풍기를 틀었어요.
暑くて扇風機をつけました。

| 0395 | **설거지** | 名 | 皿洗い |

例 밥을 먹고 설거지를 했어요
ご飯を食べて皿洗いをしました。

| 0396 | **설명** | 名 | 説明 |

例 자세한 설명을 듣고 싶어요.
詳しい説明が聞きたいです。

| 0397 | **설탕** | 名 | 砂糖 |

例 커피에 설탕을 넣으시겠습니까?
コーヒーに砂糖をお入れしますか。

| 0398 | **섬** | 名 | 島 |

例 제주도는 섬입니다.
済州島は島です。

| 0399 | **성** | 名 | 姓、苗字 |

例 성과 이름을 따로 써 주세요.
姓と名前を分けて書いてください。

ㅅ

| 0400 | **성격** [성껵] | 名 | 性格 |

例 긍정적인 성격을 좋아해요.
肯定的な性格が好きです。

| 0401 | **성공** | 名 | 成功 | 反 | 실패 |

例 성공의 비결을 알려 주세요.
成功の秘訣を教えてください。

| 0402 | **성적** | 名 | 成績 |

例 한국어 성적이 올랐어요.
韓国語の成績が上がりました。

0403 성함

名　お名前
類　성명, 이름

例　성함을 적어 주세요.
お名前を書いてください。

0404 세계

名　世界
類　세상

例　제 꿈은 세계 여행입니다.
私の夢は世界旅行です。

0405 세상

名　世の中、世界
類　세계

例　더 넓은 세상을 알고 싶어요.
もっと広い世界が知りたいです。

0406 세수

名　洗顔
類　세안

例　아침에 일어나면 먼저 세수를 합니다.
朝起きるとまず洗顔をします。

0407 세탁

名　洗濯
類　빨래

例　이 옷은 단독 세탁을 해야 해요.
この服は単独で洗濯しなければなりません。

0408 세탁기
[세탁끼]

名　洗濯機

例　세탁기에 빨래가 들어 있어요.
洗濯機に洗濯物が入っています。

| 0409 | **세탁소**
[세탁쏘] | 名 | クリーニング |

例 세탁소에 옷을 맡겼어요.
クリーニングに服を預けました。

| 0410 | **센터** | 名 | センター |

例 이삿짐 센터에 전화해 보세요.
引越センターに電話してみてください。

| 0411 | **소** | 名 | 牛 |

例 소가 음메하고 울어요.
牛がモーと鳴きます。

| 0412 | **소개** | 名 | 紹介 |

例 친구 소개로 아르바이트를 시작했어요.
友達の紹介でアルバイトを始めました。

| 0413 | **소고기** | 名 | 牛肉 |
| | | 類 | 쇠고기 |

例 소고기 스테이크를 먹었어요.
牛ステーキを食べました。

| 0414 | **소금** | 名 | 塩 |

例 소금을 많이 넣어서 음식이 짜요.
塩を入れすぎて料理が塩辛いです。

ㅅ

0415 소리 名 音

例 음악 소리가 들려요.
音楽の音が聞こえます。

0416 소설 名 小説

例 연애 소설을 좋아해요.
恋愛小説が好きです。

0417 소식 名 便り、ニュース

例 고등학교 친구 소식을 들었어요.
高校の友達のニュースを聞きました。

0418 소파 名 ソファー

例 소파에 앉아서 기다리세요.
ソファーに座ってお待ちください。

0419 소포 名 小包

例 친구 생일이라서 한국으로 소포를 보냈어요.
友達の誕生日なので、韓国へ小包を送りました。

0420 소풍 名 遠足、ピクニック

例 날씨가 좋아서 소풍을 가고 싶어요.
天気が良いので、遠足に行きたいです。

0421 소화제 [名] 胃薬、消化剤

[例] 배가 아파서 소화제를 먹었어요.
お腹が痛くて、胃薬を飲みました。

0422 속 [名] 中 [反] 겉
[類] 안

[例] 추워서 이불 속으로 들어갔어요.
寒くて布団の中に入りました。

0423 속도 [속또] [名] 速度

[例] 학교 앞에서는 자동차 속도를 늦추세요.
学校の前では車の速度を落としてください。

ㅅ

0424 속옷 [名] 下着

[例] 여행 가방에 속옷을 넣었어요.
旅行のカバンに下着を入れました。

0425 손 [名] 手

[例] 저는 손이 따뜻한 사람이 좋아요.
私は手があたたかい人が好きです。

0426 손가락 [손까락] [名] 指

[例] 손가락이 가늘고 예쁘네요.
指が細くてきれいですね。

0427 손녀
名 孫娘

例 할머니가 손녀를 돌보고 있어요.
祖母が孫娘を見守っています。

0428 손님
名 客　　反 주인
類 고객

例 단체 손님을 안내해 주세요.
団体のお客さんを案内してください。

0429 손바닥
[손빠닥]
名 手のひら

例 손바닥을 펴서 보여 주세요.
手のひらを開いて見せてください。

0430 손수건
[손쑤건]
名 ハンカチ

例 손을 씻고 손수건으로 닦았어요.
手を洗ってハンカチで拭きました。

0431 쇼핑
名 買い物、ショッピング

例 인터넷 쇼핑을 좋아해요.
ネットショッピングが好きです。

0432 수건
名 タオル
類 타월

例 물을 수건으로 닦았어요.
水をタオルで拭きました。

| 0433 | **수고** | 名 苦労 |

例 수고하셨습니다.
ご苦労様でした。

| 0434 | **수술** | 名 手術 |

例 친구가 다쳐서 수술을 했어요.
友達がケガをして手術をしました。

| 0435 | **수업** | 名 授業 |

例 이번 학기는 어려운 수업이 많아요.
今学期は難しい授業が多いです。

ㅅ

| 0436 | **수영** | 名 水泳 |

例 취미로 수영을 배우고 있어요.
趣味で水泳を習っています。

| 0437 | **수영복** | 名 水着 |

例 바다에서 입을 수영복을 샀어요.
海で着る水着を買いました。

| 0438 | **수영장** | 名 プール
類 풀, 풀장 |

例 여름에는 수영장에 사람이 많아요.
夏にはプールに人が多いです。

0439　수요일　名　水曜日

例　매주 수요일에 쿠폰이 와요.
毎週水曜日にクーポンが届きます。

0440　수저　名　スプーンと箸

例　수저 좀 놓아 주세요.
スプーンと箸を置いてください。

0441　수첩　名　手帳

例　중요한 내용은 수첩에 적으세요.
重要な内容は手帳に書いてください。

0442　숙제
[숙쩨]　名　宿題
　　　　類　과제

例　내일까지 숙제를 내야 해요.
明日までに宿題を出さなければなりません。

0443　순서　名　順序

例　가위바위보로 발표 순서를 정했어요.
じゃんけんで発表の順序を決めました。

0444　숟가락
[숟까락]　名　スプーン

例　카레는 숟가락으로 먹어요.
カレーはスプーンで食べます。

| 0445 | 술 | 名 | 酒 |

例 술을 마시고 취했어요.
酒を飲んで酔っ払いました。

| 0446 | 술집 [술찝] | 名 居酒屋、飲み屋 類 주점 |

例 일본 술집에서 술을 마셔 보고 싶어요.
日本の居酒屋で酒を飲んでみたいです。

| 0447 | 숫자 [숟짜] | 名 数字 類 수 |

例 숫자를 세고 있어요.
数字を数えています。

| 0448 | 슈퍼마켓 | 名 スーパーマーケット 類 슈퍼 |

例 우유를 사러 슈퍼마켓에 갔어요.
牛乳を買いにスーパーマーケットに行きました。

| 0449 | 스스로 | 名/副 自ら、自分、自分自身 |

例 스스로를 믿어 보세요.
自分を信じてみてください。

| 0450 | 스케이트 | 名 スケート |

例 겨울에는 서울시청에 스케이트를 타러 가요.
冬にはソウル市庁へスケートをしに行きます。

ㅅ

| 0451 | 스키 | 名 スキー |

例 겨울에는 스키를 타러 갑시다.
冬にはスキーをしに行きましょう。

| 0452 | 스키장 | 名 スキー場 |

例 겨울에는 꼭 스키장에 가요.
冬には必ずスキー場へ行きます。

| 0453 | 스타 | 名 スター |

例 공항에서 인기 스타를 봤어요.
空港で人気スターを見ました。

| 0454 | 스트레스 | 名 ストレス |

例 평소에 어떻게 스트레스를 풀어요?
普段どのようにストレスを解消しますか。

| 0455 | 스포츠 | 名 スポーツ |
| | | 類 운동 |

例 좋아하는 스포츠가 뭐예요?
好きなスポーツは何ですか。

| 0456 | 습관 [습꽌] | 名 習慣 |
| | | 類 버릇 |

例 매일 아침 커피를 마시는 게 습관이 되었어요.
毎朝コーヒーを飲むことが習慣になりました。

| 0457 | 시 | 名 市 |

例 이 도서관은 시에서 관리해요.
この図書館は市が管理します。

| 0458 | 시간 | 名 時間 |

例 수업 시간에 늦었어요.
授業の時間に遅れました。

| 0459 | 시간표 | 名 時間割 |

例 수업 시간표가 변경되었습니다.
授業の時間割が変更されました。

| 0460 | 시계 | 名 時計 |

例 시계가 멈춰서 시간을 몰라요.
時計が止まって、時間が分かりません。

| 0461 | 시골 | 名 田舎 / 類 촌 |

例 언젠가 시골에 살고 싶어요.
いつか田舎に住みたいです。

| 0462 | 시내 | 名 市内 |

例 서울 시내를 돌아다녔어요.
ソウル市内を回りました。

ㅅ

0463 시민

名 市民

例 서울 시민은 누구나 참여할 수 있어요.
ソウル市民は誰もが参加できます。

0464 시어머니

名 姑、夫の母

例 며느리와 시어머니 사이가 좋아요.
嫁と姑の仲がいいです。

0465 시장

名 市場
類 장

例 시장을 구경하러 갔어요.
市場を見に行きました。

0466 시청

名 市役所、市庁

例 시청 앞에서 사진을 찍었어요.
市役所の前で写真を撮りました。

0467 시험

名 試験、テスト

例 운전면허 시험을 봤어요.
運転免許の試験を受けました。

0468 식구 [식꾸]

名 家族
類 가족

例 식구들과 여행을 가요.
家族と旅行に行きます。

식당 [식땅]
名 食堂

例 학생 식당에서 밥을 먹었어요.
学生食堂でご飯を食べました。

식사 [식싸]
名 食事
類 밥

例 내일 식사 약속이 있어요.
明日、食事の約束があります。

식초
名 お酢
類 초

例 냉면에 식초를 넣었습니다.
冷麺にお酢を入れました。

식탁
名 食卓
類 밥상

例 식탁을 치웠어요.
食卓を片付けました。

식품
名 食品

例 인스턴트 식품만 먹으면 안 돼요.
インスタント食品ばかり食べてはいけません。

신랑 [실랑]
名 新郎
反 신부

例 신랑과 신부가 손을 잡았습니다.
新郎と新婦が手をつなぎました。

0475 **신문** 名 新聞

例 매일 아침 신문을 읽어요.
毎朝、新聞を読みます。

0476 **신발** 名 靴
類 신

例 새 신발을 샀어요.
新しい靴を買いました。

0477 **신부** 名 新婦　反 신랑

例 신부와 사진을 찍었습니다.
新婦と写真を撮りました。

0478 **신분증** 名 身分証明書
[신분쯩]

例 신분증을 잃어버렸습니다.
身分証明書を失くしてしまいました。

0479 **신청** 名 申請、申し込み

例 유학 신청은 마감되었습니다.
留学の申請は締め切りました。

0480 **신호등** 名 信号機、信号

例 신호등이 바뀌면 건넙시다
信号が変わったら渡りましょう。

0481	**신혼여행** [신혼녀행]	名	新婚旅行
		類	허니문

例 신혼여행은 하와이로 가요.
新婚旅行はハワイへ行きます。

0482	**실례**	名	失礼
		類	결례

例 실례지만 화장실이 어디예요?
失礼ですが、トイレはどこですか。

0483	**실수** [실쑤]	名	ミス

例 누구나 실수를 할 수 있어요.
誰もがミスをすることがあります。

0484	**실패**	名	失敗	反	성공

例 실패의 원인을 찾고 있어요.
失敗の原因を探しています。

0485	**쌀**	名	米

例 시장에 쌀을 사러 갔어요.
市場に米を買いに行きました。

0486	**쓰레기**	名	ごみ

例 쓰레기를 버리지 마세요.
ごみを捨てないでください。

ㅅ

0487 쓰레기통

名 ごみ箱

類 휴지통

例 쓰레기는 쓰레기통에 버려 주세요.
ごみはごみ箱に捨ててください。

0488 **아가씨**	名	お嬢さん、 反 총각 未婚の女性

例 저 아가씨에게 물어보세요.
あのお嬢さんに聞いてみてください。

0489 **아기**	名	赤ちゃん

例 아기가 태어났어요.
赤ちゃんが生まれました。

0490 **아나운서**	名	アナウンサー

例 방송국에서 아나운서로 일하게 됐어요.
放送局でアナウンサーとして働くことになりました。

0491 **아내**	名	妻
	類	처, 부인, 집사람

例 아내와 데이트 했어요.
妻とデートしました。

0492 **아들**	名	息子

例 아들에게 여자 친구가 생겼어요.
息子に彼女ができました。

0493 **아래**	名	下
	類	밑

例 책상 아래에 가방을 두세요.
机の下にカバンを置いてください。

ㅇ

0494 아르바이트 名 アルバイト

例 빵집에서 아르바이트를 시작했어요.
パン屋でアルバイトを始めました。

0495 아무것 名 何、何も、何でも

例 집에서는 아무것도 안 해요.
家では何もしません。

0496 아버지 名 父

例 아버지는 회사원입니다.
父は会社員です。

0497 아이 名 子ども 反 어른

例 아이가 뛰어 다니고 있어요.
子どもが走り回っています。

0498 아저씨 名 おじさん

例 옆집 아저씨에게 인사를 했어요.
隣のおじさんに挨拶しました。

0499 아주머니 名 おばさん

例 하숙집 아주머니에게 전화를 했어요.
下宿のおばさんに電話をしました。

| 0500 | **아침** | 名 朝 | | |

例 아침에는 운동을 해요.
朝には運動をします。

| 0501 | **악기**
[악끼] | 名 楽器 | | |

例 악기를 연주하고 싶어요.
楽器を演奏したいです。

| 0502 | **안** | 名 中 | 反 바깥, 밖 |

例 교실 안에 사람이 없어요.
教室の中に人がいません。

| 0503 | **안개** | 名 霧 | | |

例 안개가 꼈어요.
霧がかかりました。

| 0504 | **안경** | 名 眼鏡 | | |

例 눈이 나빠져서 안경을 꼈어요.
目が悪くなって、眼鏡をかけました。

| 0505 | **안내** | 名 案内 | | |

例 안내 방송을 시작하겠습니다.
案内放送を始めます。

ㅇ

| 0506 | **안전** | 名 安全 | 反 위험 |

例 안전 운전 하세요.
安全運転をお願いいたします。

| 0507 | **앞** | 名 前 | 反 뒤 |

例 역 앞에서 친구를 만났어요.
駅の前で友達に会いました。

| 0508 | **애인** | 名 恋人 |
| | | 類 연인 |

例 애인과 헤어졌어요.
恋人と別れました。

| 0509 | **앨범** | 名 アルバム |
| | | 類 사진첩 |

例 오랜만에 졸업 앨범을 봤어요.
久しぶりに卒業アルバムを見ました。

| 0510 | **야구** | 名 野球 |

例 토요일에 야구 경기를 보러 가요.
土曜日に野球競技を見に行きます。

| 0511 | **야채** | 名 野菜 |
| | | 類 채소 |

例 신선한 야채는 달아요.
新鮮な野菜は甘いです。

| 0512 | **약** | 名 薬 |
| | | 類 약품 |

例 식후에 약을 드세요.
食後に薬を飲んでください。

| 0513 | **약간** [약깐] | 名/副 少し |
| | | 類 조금, 좀 |

例 소금을 약간만 넣어 주세요.
塩を少しだけ入れてください。

| 0514 | **약국** [약꾹] | 名 薬局 |

例 약을 사러 약국에 가요.
薬を買いに薬局に行きます。

| 0515 | **약사** [약싸] | 名 薬剤師 |

例 약사가 되고 싶어요.
薬剤師になりたいです。

o

| 0516 | **약속** [약쏙] | 名 約束 |

例 친구와의 약속을 지키고 싶어요.
友達との約束を守りたいです。

| 0517 | **양말** | 名 靴下 |

例 양말을 안 신었어요.
靴下を履いていません。

0518 양복

名 スーツ
類 정장

例 양복이 잘 어울려요.
スーツがよく似合います。

0519 양식

名 洋食

例 한식보다 양식을 좋아해요.
韓国料理より洋食が好きです。

0520 양치질

名 歯磨き
類 칫솔질

例 자기 전에 양치질을 합시다.
寝る前に歯磨きをしましょう。

0521 어깨

名 肩

例 오래 책을 봐서 어깨가 아파요.
長時間本を読んで肩が痛いです。

0522 어디

名 どこ

例 화장실은 어디예요?
トイレはどこですか。

0523 어른

名 大人
反 아이
類 성인

例 스무 살이 되면 어른이에요.
20歳になると大人です。

0524 어린이

名 子ども

類 어린아이

例 어린이를 찾고 있습니다.
子どもを探しています。

0525 어머니

名 母

例 어머니 요리를 먹고 싶어요.
母の料理が食べたいです。

0526 어제

名 昨日

類 어저께

例 어제는 아르바이트를 했어요.
昨日はアルバイトをしました。

0527 어젯밤
[어젣빰]

名 昨夜

例 어젯밤 꿈에 보고 싶은 친구가 나왔어요.
昨夜の夢に会いたい友達が出てきました。

0528 언니

名 （女性から）お姉さん、姉

例 언니와 같이 쇼핑을 가요.
姉と一緒に買い物に行きます。

0529 언어

名 言語

例 무슨 언어를 배우고 있어요?
何の言語を学んでいますか。

ㅇ

| 0530 | **얼굴** | 名 顔 |

例 제 친구는 얼굴이 예뻐요.
私の友達は顔がきれいです。

| 0531 | **얼마** | 名 いくら |

例 이 옷은 얼마예요?
この服はいくらですか。

| 0532 | **얼음** | 名 氷 |

例 주스에 얼음을 넣어 주세요.
ジュースに氷を入れてください。

| 0533 | **엉덩이** | 名 お尻 |

例 넘어져서 엉덩이가 아파요.
転んでお尻が痛いです。

| 0534 | **에어컨** | 名 エアコン、クーラー |

例 더워서 에어컨을 켰어요.
暑くてエアコンをつけました。

| 0535 | **엘리베이터** | 名 エレベーター
類 승강기 |

例 엘리베이터를 타고 갈까요?
エレベーターに乗って行きますか。

0536	**여권** [여꿘]	名 旅券、パスポート

例 여권을 신청했어요.
パスポートを申請しました。

0537	**여기**	名 ここ

例 여기에서 집까지 얼마나 걸려요?
ここから家までどのくらいかかりますか。

0538	**여기저기**	名 あちこち
		類 곳곳, 이곳저곳

例 여행을 가서 여기저기 돌아다니고 싶어요.
旅行に行って、あちこち回りたいです。

0539	**여동생**	名 妹

例 저는 여동생이 있어요.
私は妹がいます。

ㅇ

0540	**여러분**	名 皆さん、皆さま

例 팬 여러분께 감사 드립니다.
ファンの皆様に感謝いたします。

0541	**여름**	名 夏

例 올해 여름도 더워요.
今年の夏も暑いです。

0542 **여자**	名	女、女子
	類	여성

例 여자 화장실은 어디에요?
女子トイレはどこですか。

0543 **여행**	名	旅行

例 자전거 여행을 가기로 했어요.
自転車旅行に行くことにしました。

0544 **여행사**	名	旅行会社

例 여행사 직원이 되고 싶어요.
旅行会社の職員になりたいです。

0545 **여행지**	名	旅行先

例 신혼 여행지를 고르고 있어요.
新婚旅行先を選んでいます。

0546 **역**	名	駅

例 열차가 지금 역에 도착했어요.
列車が今、駅に到着しました。

0547 **역사** [역싸]	名	歴史

例 세계 역사를 공부하고 있어요.
世界の歴史を勉強しています。

0548	**연결**	名	連結、接続

例 와이파이에 연결이 잘 안 돼요.
Wi-Fiに接続が上手くできません。

0549	**연극**	名	演劇

例 대학로에 연극을 보러 갔어요.
大学路へ演劇を見に行きました。

0550	**연락** [열락]	名	連絡

例 이사를 하고 친구와 연락이 끊겼어요.
引っ越しをしてから、友達と連絡が途切れました。

0551	**연락처** [열락처]	名	連絡先

例 긴급 연락처를 적어 주세요.
緊急連絡先を書いてください。

0552	**연말**	名	年末	反	연초

例 연말에는 송년회 등 이벤트가 많아요.
年末には忘年会などのイベントが多いです。

0553	**연세**	名	お年

例 아버님은 연세가 어떻게 되세요?
お父様のお年はおいくつでしょうか。

0554 **연습** 名 練習

例 한국 친구와 말하기 연습을 하고 있어요.
韓国人の友達と会話の練習をしています。

0555 **연예인** 名 芸能人

例 좋아하는 연예인은 누구예요?
好きな芸能人は誰ですか。

0556 **연필** 名 鉛筆

例 책상 위에는 연필과 지우개만 놓으세요.
机の上には鉛筆と消しゴムだけを置いてください。

0557 **연휴** 名 連休

例 긴 연휴가 금방 끝났어요.
長い連休があっという間に終わりました。

0558 **열** 名 熱

例 어제는 열이 삼십구 도까지 올랐어요.
昨日は熱が39度まで上がりました。

0559 **열쇠** 名 鍵
[열쐬] 類 キー

例 열쇠로 문을 열어요.
鍵でドアを開けます。

0560	**열차**	名 列車

例 열차가 들어오고 있습니다.
　列車がまいります。

0561	**열흘**	名 十日

例 열흘 뒤에 만나요.
　十日後にお会いしましょう。

0562	**엽서** [엽써]	名 はがき

例 여행지에서 친구에게 엽서를 한 통 보냈어요.
　旅行先で友達へはがきを一通送りました。

0563	**영수증**	名 領収書

例 영수증 필요하세요?
　領収書は要りますか。

ㅇ

0564	**영어**	名 英語

例 영어 수업에서 한국어로 답할 때가 있어요.
　英語の授業で韓国語で答える時があります。

0565	**영하**	名 零下、マイナス　反 영상

例 아침기온은 영하 십 도예요.
　朝の気温は、マイナス10度です。

0566 영화
名 映画

例 저는 액션 영화를 좋아해요.
私はアクション映画が好きです。

0567 영화관
名 映画館
類 극장

例 어제 개봉한 영화를 보러 영화관에 가요.
昨日から上映されている映画を見に映画館へ行きます。

0568 옆
名 横、隣、そば

例 집 옆에 도서관이 있어요.
家の隣に図書館があります。

0569 옆집
[엽찝]
名 お隣、隣人

例 옆집에서 피아노 소리가 들려요.
お隣からピアノの音が聞こえます。

0570 예매
名 チケットの予約
類 예약

例 제주도에 가는 비행기표를 예매했어요.
済州島へ行く飛行機のチケットを予約しました。

0571 예술
名 芸術

例 에도시대 예술 작품에 대해 공부하고 있어요.
江戸時代の芸術作品について勉強しています。

🎧 0572	**예습**	名 予習

例 저는 수업 전에 예습을 해요.
私は授業の前に予習をします。

🎧 0573	**예약**	名 予約 類 예매

例 호텔을 인터넷으로 예약했어요.
ホテルをインターネットで予約しました。

🎧 0574	**옛날** [옌날]	名 昔

例 할머니 집에는 옛날 물건이 많아요.
祖母の家には昔のものが多いです。

🎧 0575	**오늘**	名 今日

ㅇ

例 오늘 일정을 알려 주세요.
今日の日程を教えてください。

🎧 0576	**오랜간만**	名 久しぶり 類 오랜만

例 오랜간만에 친구들과 만났어요.
久しぶりに友達と会いました。

🎧 0577	**오랫동안** [오랟똥안]	名 長い間

例 오랫동안 돌아오길 기다렸어요.
長い間帰ってくるのを待っていました。

0578 오른손　名 右手　反 왼손

例 왼손보다 오른손이 편해요.
左手より右手が楽です。

0579 오른쪽　名 右側　反 왼쪽
類 오른편, 우측

例 편의점 오른쪽으로 돌아가세요.
コンビニの右側へ曲がってください。

0580 오빠　名 (女性から) お兄さん、兄

例 오빠가 한 명 있어요.
兄が一人います。

0581 오전　名 午前　反 오후

例 오전 수업은 아홉 시에 시작돼요.
午前授業は9時に始まります。

0582 오후　名 午後　反 오전

例 평일에는 오후에 아르바이트를 해요.
平日は午後にアルバイトをします。

0583 온도　名 温度

例 더우니까 온도를 내려 주세요.
暑いから温度を下げてください。

0584 올림픽 名 オリンピック

例 도쿄에서 올림픽이 개최되었습니다.
東京でオリンピックが開催されました。

0585 올해 名 今年

例 올해 목표는 운동입니다.
今年の目標は運動です。

0586 옷 名 服

例 친구 결혼식에서 입을 옷을 샀어요.
友達の結婚式で着る服を買いました。

0587 옷걸이 [옫꺼리] 名 ハンガー

例 코트를 옷걸이에 걸까요?
コートをハンガーにかけましょうか。

0588 옷장 [옫짱] 名 (衣料) タンス、クローゼット

例 여름 옷을 옷장에 넣었어요.
夏の服をタンスにしまいました。

0589 와이셔츠 名 ワイシャツ

例 정장을 입으려고 와이셔츠를 다렸어요.
スーツを着ようとワイシャツにアイロンかけました。

ㅇ

| 0590 | 왕 | 名 王、王様 |
| | | 類 임금 |

例 영국은 지금도 왕이 있습니다.
イギリスは今も王がいます。

| 0591 | 외국 | 名 外国 | 反 국내 |

例 외국에 가서 살아보고 싶어요.
外国へ行って住んでみたいです。

| 0592 | 외국어 | 名 外国語 |

例 어떤 외국어를 공부하고 있어요?
どんな外国語を勉強していますか。

| 0593 | 외국인 | 名 外国人 | 反 내국인, 내국민 |

例 한국에 거주하는 외국인이 늘고 있어요.
韓国に居住する外国人が増えています。

| 0594 | 외출 | 名 外出 |

例 외출을 하려고 준비하고 있어요.
外出をしようと準備しています。

| 0595 | 왼손 | 名 左手 | 反 오른손 |

例 밥은 오른손으로 먹고 글씨는 왼손으로 써요.
ご飯は右手で食べて、文字は左手で書きます。

0596	**왼쪽**	名 左側	反 오른쪽
		類 왼편, 좌측	

例 가방은 왼쪽에 놓으세요.
カバンは左側に置いてください。

0597	**요금**	名 料金、〜代

例 택시 요금이 올랐어요.
タクシー代が値上がりしました。

0598	**요리**	名 料理
		類 조리

例 저는 요리를 잘 못해요.
私は料理が下手です。

0599	**요리사**	名 料理人
		類 조리사

例 저는 요리사를 꿈꾸고 있어요.
私は料理人になることを夢見ています。

0600	**요일**	名 曜日

例 무슨 요일에 쉬세요?
何曜日に休まれますか。

0601	**요즘**	名 この頃、最近
		類 최근

例 요즘 어떻게 지내세요?
最近どのようにお過ごしですか。

ㅇ

0602 우리

名 私たち、うち、我々

類 저희

例 우리 학교 도서관에는 책이 많아요.
うちの学校の図書館には本が多いです。

0603 우리나라

名 我が国

例 우리나라는 자연이 아름답습니다.
我が国は自然が美しいです。

0604 우산

名 傘

例 비가 오지만 우산이 없어요.
雨が降っていますが傘がありません。

0605 우유

名 牛乳

例 저는 아침에 우유를 한 잔 마셔요.
私は朝、牛乳を一杯飲みます。

0606 우체국

名 郵便局

例 우체국에서 편지를 부쳐요.
郵便局で手紙を送ります。

0607 우표

名 切手

例 저는 우표를 모으고 있어요.
私は切手を集めています。

| 0608 | **운동** | 名 | 運動 |

例 운동은 건강에 좋습니다.
運動は健康にいいです。

| 0609 | **운동장** | 名 | 運動場、グラウンド |

例 운동장에서 달리기 연습을 합니다.
グラウンドで走る練習をします。

| 0610 | **운동화** | 名 | 運動靴、スニーカー |
| | | 類 | 신발 |

例 새 운동화를 신었어요.
新しいスニーカーを履きました。

| 0611 | **운전** | 名 | 運転 |

例 저는 아직 운전을 잘 못해요.
私はまだ運転が下手です。

| 0612 | **운전사** | 名 | 運転手 |
| | | 類 | 운전기사 |

例 저희 아버지는 트럭 운전사였어요.
私のお父さんはトラック運転手でした。

| 0613 | **월급** | 名 | 給料、月給 |
| | | 類 | 급여 |

例 월급을 받으면 한턱낼게요.
給料をもらったらご馳走します。

0614 **월요일**	名 月曜日	

例 월요일부터 새 회사에 출근합니다.
月曜日から新しい会社に出勤します。

0615 **위**	名 上	反 아래	

例 지갑은 책상 위에 있어요.
財布は机の上にあります。

0616 **위치**	名 位置、場所	
	類 자리	

例 영화관 위치는 저쪽이에요.
映画館の場所はあちらです。

0617 **유리**	名 ガラス

例 유리 꽃병이 깨졌어요.
ガラスの花瓶が割れました。

0618 **유치원**	名 幼稚園

例 유치원에 다니는 여동생이 있어요.
幼稚園に通っている妹がいます。

0619 **유학**	名 留学

例 내년에 미국으로 유학을 가요.
来年アメリカに留学に行きます。

0620 **육교**
[육꾜]

名 歩道橋

例 육교를 건넙니다.
歩道橋を渡ります。

0621 **은행**

名 銀行

例 은행에서 돈을 찾아요.
銀行でお金を下ろします。

0622 **음료수**
[음뇨수]

名 飲み物、飲料水　縮 음료

例 어떤 음료수를 자주 마셔요?
どんな飲み物をよく飲みますか。

0623 **음식**

名 食べ物、料理
類 요리

例 한국 음식을 자주 먹어요?
韓国料理をよく食べますか。

0624 **음식점**
[음식쩜]

名 飲食店、食堂
類 식당

例 이곳은 유명한 음식점이에요.
ここは有名な食堂です。

0625 **음악**

名 音楽

例 저는 음악을 들으면서 공부해요.
私は音楽を聴きながら勉強します。

ㅇ

0626	**의미**	名 意味 類 뜻
例	이 단어의 의미는 무엇입니까? この単語の意味は何ですか。	
0627	**의사**	名 医師
例	몸이 안 좋으면 의사의 진찰을 받으세요. 具合が悪ければ、医者の診察を受けて下さい。	
0628	**의자**	名 椅子
例	이쪽 의자에 앉아서 기다리세요. こちらの椅子に座ってお待ちください。	
0629	**이**	名 歯 類 치아
例	자기 전에 이를 닦아요. 寝る前に歯を磨きます。	
0630	**이것**	名 これ 口 이거
例	이것은 제 교과서입니다. これは私の教科書です。	
0631	**이름**	名 名前 類 성명
例	여기에 이름을 써 주세요. ここに名前を書いてください。	

0632 **이마** 名 額、おでこ

例 이 아이는 이마가 예쁘네요.
この子はおでこが可愛いですね。

0633 **이모** 名 （母側の）おば

例 저는 이모가 두 명 있어요.
私はおばが二人います。

0634 **이번** 名 今回

例 이번 주말에 친구를 만나요.
今週末に友達に会います。

0635 **이분** 名 この方

例 이분은 제 선생님입니다.
この方は私の先生です。

0636 **이불** 名 布団

例 이불을 깔고 주무세요.
布団を敷いてお休みになってください。

0637 **이삿짐**
[이삳찜] 名 引越しの荷物

例 이삿짐은 많지 않아요.
引越しの荷物は多くありません。

ㅇ

0638 **이상** 01　名 以上　　反 이하

例 기대 이상의 결과를 얻었어요.
期待以上の結果を得ました。

0639 **이상** 02　名 異常　　反 정상

例 이상이 있으면 이 번호로 연락 주세요.
異常があればこの番号にご連絡ください。

0640 **이야기**　名 話　　縮 얘기

例 어제 재미있는 이야기를 들었어요.
昨日面白い話を聞きました。

0641 **이용**　名 利用
　　　類 사용

例 도서관 이용 방법을 알려 주세요.
図書館の利用方法を教えてください。

0642 **이웃**　名 隣人、隣、お隣さん、近所の人

例 우리 집은 이웃과 사이가 좋아요.
我が家は近所の人と仲がいいです。

0643 **이유**　名 理由
　　　類 원인

例 지각한 이유를 설명해 주세요.
遅刻した理由を説明してください。

0644　**이전**　名　以前、前　反　이후

例　이전부터 계획한 일이에요.
以前から計画していたことです。

0645　**이쪽**　名　こちら、こちら側

例　이쪽을 봐 주세요.
こちらを見てください。

0646　**이틀**　名　二日

例　이틀에 한 번 야구 연습을 해요.
二日に一回野球の練習をします。

0647　**이해**　名　理解

例　이해 안 되는 부분이 있습니다.
理解できない部分があります。

0648　**이후**　名　以降、以来、以後　反　이전

例　수요일 이후라면 시간이 있어요.
水曜日以降なら時間があります。

0649　**인기**　名　人気
[인끼]

例　이 노래는 요즘 인기가 있어요.
この歌は最近人気があります。

0650 **인사** 名 挨拶

例 인사가 늦어서 미안합니다.
挨拶が遅れてすみません。

0651 **인터넷** 名 インターネット

例 한국은 인터넷이 빨라요.
韓国はインターネットが速いです。

0652 **인형** 名 人形、ぬいぐるみ

例 유원지에서 인형을 샀어요.
遊園地で人形を買いました。

0653 **일** 名 仕事

例 일이 많아서 너무 힘들어요.
仕事が多くてとても大変です。

0654 **일기** 名 日記

例 저는 매일 일기를 써요.
私は毎日日記を書きます。

0655 **일기 예보** 名 天気予報

例 외출하기 전에 일기 예보를 확인하세요.
出かける前に天気予報を確認してください。

일본 名 日本

例 일본 문화에 관심이 있어요.
日本の文化に興味があります。

일부 名 一部　　　反 전부

例 일부 지역에 눈이 많이 내리고 있어요.
一部の地域で雪がたくさん降っています。

일식 名 和食、日本食
[일씩]

例 저는 일식을 좋아해요.
私は日本食が好きです。

일요일 名 日曜日

例 매주 일요일에 아르바이트를 해요.
毎週日曜日にアルバイトをします。

일주일 名 一週間
[일쭈일]

例 일주일만 기다려 주세요.
一週間だけ待ってください。

입 名 口

例 입을 크게 벌리세요.
口を大きく開けてください。

0662 입구
[입꾸]
名 入口　反 출구

例 지하철 입구에서 만나요.
地下鉄の入口で会いましょう。

0663 입술
[입쑬]
名 唇
類 입

例 입술이 건조해요.
唇が乾燥しています。

0664 입원
名 入院　反 퇴원

例 입원해서 치료를 받아야 해요.
入院して治療を受けなければいけません。

0665 입장권
[입짱꿘]
名 入場券

例 유원지 입장권이 너무 비싸요.
遊園地の入場券が高すぎます。

0666 입학
[이팍]
名 入学　反 졸업

例 입학 선물은 무엇이 좋아요?
入学祝いは何がいいですか。

0667 잎
名 葉

例 저 나무는 잎이 다 떨어졌어요.
あの木は葉が全部落ちました。

0668 자기소개

名 自己紹介

例 자기소개를 부탁드립니다.
自己紹介をお願いします。

0669 자동차

名 自動車、車
類 차

例 새 자동차를 사고 싶어요.
新しい車が買いたいです。

0670 자동판매기

名 自動販売機
類 자판기

例 자동판매기가 고장났어요.
自動販売機が故障しました。

0671 자리

名 席

例 이쪽 자리가 비어 있어요.
こちらの席が空いています。

ㅈ

0672 자식

名 子息、子ども
類 아이

例 그 부부는 자식이 없어요.
その夫婦には子どもがいません。

0673 자신

名 自身、自分
類 자기

例 자신의 일은 스스로 하세요.
自分のことは自分でやってください。

| 0674 | **자연** | 名 | 自然 |

例 자연을 보호합시다.
自然を保護しましょう。

| 0675 | **자유** | 名 | 自由 |

例 자유 시간도 있어요?
自由時間もありますか。

| 0676 | **자전거** | 名 | 自転車 |

例 주말에는 자전거를 타요.
週末には自転車に乗ります。

| 0677 | **작년** [장년] | 名 | 昨年、去年 |
| | | 類 | 지난해 |

例 작년에 미국을 여행했어요.
昨年アメリカを旅行しました。

| 0678 | **잔** | 名 | 杯、グラス、コップ |

例 여러분, 잔을 들어 주세요.
皆さん、グラスをお持ちください。

| 0679 | **잔치** | 名 | 宴会、パーティー |

例 할아버지 생신 잔치에 다녀왔어요.
おじいさんの誕生日パーティーに行ってきました。

0680	**잠**	名 眠り、睡眠

例 요즘 잠이 부족해요.
最近睡眠が足りません。

0681	**잡지** [잡찌]	名 雑誌
		類 잡지책

例 카페에서 잡지를 읽어요.
カフェで雑誌を読みます。

0682	**장갑**	名 手袋

例 친구에게 장갑을 선물했어요.
友達に手袋をプレゼントしました。

0683	**장난감**	名 おもちゃ

例 장난감 가게에서 아르바이트를 해요.
おもちゃ屋でアルバイトをします。

ㅈ

0684	**장마**	名 梅雨

例 장마가 끝났어요.
梅雨が明けました。

0685	**장미**	名 バラ

例 장미를 한 다발 받았어요.
バラを一束もらいました。

0686 장소　名 場所

例 약속 장소가 바뀌었어요.
約束の場所が変わりました。

0687 재료　名 材料

例 음식 재료를 사러 마트에 가요.
料理の材料を買いにスーパーに行きます。

0688 재채기　名 くしゃみ

例 계속 재채기가 나요.
ずっとくしゃみが出ます。

0689 저것　名 あれ
　　　　　口 저거

例 저것은 제 가방이에요.
あれは私のカバンです。

0690 저금　名 貯金
　　　　　類 저축

例 매달 조금씩 저금을 해요.
毎月少しずつ貯金をします。

0691 저기　名 あそこ

例 저기 보이는 집이 우리 집이에요.
あそこに見える家が我が家です。

저녁 01 0692
名 夕方

例 저녁에 회의가 있어요.
夕方に会議があります。

저녁 02 0693
名 夕飯
類 저녁밥

例 오늘 저녁은 카레예요.
今日の夕飯はカレーです。

저번 0694
名 この前、先ごろ
類 지난번

例 저번에는 정말 감사했습니다.
この前は本当にありがとうございました。

저분 0695
名 あの方

例 저분은 우리 담임 선생님이에요.
あの方は私の担任の先生です。

ㅈ

저쪽 0696
名 あちら

例 저쪽을 보세요.
あちらを見てください。

저희 0697
[저히]
名 私ども、うち

例 저희 회사는 서울에 있습니다.
うちの会社はソウルにあります。

🎧 0698	**전**	名 （時間の）前　　反 후

例　며칠 전부터 계속 눈이 와요.
数日前からずっと雪が降っています。

🎧 0699	**전공**	名 専攻

例　이번 학기는 전공 수업이 많아서 힘들어요.
今学期は専攻の授業が多くて大変です。

🎧 0700	**전기**	名 電気

例　전기 자동차를 사고 싶어요.
電気自動車が買いたいです。

🎧 0701	**전철**	名 電車

例　회사까지는 전철로 가요.
会社までは電車で行きます。

🎧 0702	**전체**	名 全体　　反 부분

例　건물 전체가 병원이에요.
建物全体が病院です。

🎧 0703	**전화**	名 電話

例　친구한테서 전화가 왔어요.
友達から電話がありました。

0704 전화번호 名 電話番号

例 최근에 전화번호가 바뀌었어요.
最近電話番号が変わりました。

0705 점수 名 点数

例 시험 점수가 올랐어요.
テストの点数が上がりました。

0706 점심 名 お昼、昼食
類 점심밥

例 요즘 바빠서 점심을 안 먹을 때가 많아요.
最近忙しくてお昼を食べない時が多いです。

0707 점심시간 名 昼休み
[점심씨간]

例 열두 시부터 점심시간이에요.
12時から昼休みです。

ㅈ

0708 접시 名 皿
[접씨] 類 그릇

例 김치는 이 접시에 담아 주세요.
キムチはこの皿に盛り付けてください。

0709 젓가락 名 箸
[저까락/젇까락]

例 한국에서는 식사를 할 때 숟가락과 젓가락을 사용해요.
韓国では食事の時スプーンと箸を使います。

| 0710 | 정도 | 名 | 程度、くらい |
| | | 類 | 가량 |

例 저는 매일 한 시간 정도 외국어를 공부해요.
私は毎日1時間くらい外国語を勉強します。

| 0711 | 정류장
[정뉴장] | 名 | 停留所 |
| | | 類 | 정거장, 정류소 |

例 남대문은 다음 정류장에서 내리세요.
南大門は次の停留所で降りてください。

| 0712 | 정리
[정니] | 名 | 整理、片付け |
| | | 類 | 정돈 |

例 내일은 책상 정리를 할 거예요.
明日は机の整理をするつもりです。

| 0713 | 정문 | 名 | 正門、エントランス |

例 학교 정문 앞에서 만나요.
学校の正門の前で会いましょう。

| 0714 | 정원 | 名 | 庭、庭園 |

例 정원을 가꾸는 것이 취미예요.
庭を手入れするのが趣味です。

| 0715 | 제목 | 名 | 題目、タイトル |

例 좋아하는 소설 제목이 뭐예요?
好きな小説のタイトルは何ですか。

0716 **조카** 　名 甥、姪

例 조카가 태어나서 정말 기뻐요.
甥(姪)が生まれてとても嬉しいです。

0717 **졸업** 　名 卒業 　反 입학

例 졸업을 진심으로 축하합니다.
卒業を心よりお祝いいたします。

0718 **종류** 　名 種類
[종뉴]

例 이 가게는 옷 종류가 많아서 자주 와요.
この店は服の種類が多いのでよく来ます。

0719 **종업원** 　名 従業員
　類 직원

例 이 식당은 음식도 맛있고 종업원도 친절합니다.
この食堂は食べ物も美味しくて従業員も親切です。

0720 **종이** 　名 紙

例 프린트할 종이가 부족해요.
プリントする紙が足りません。

0721 **주말** 　名 週末 　反 평일

例 지난 주말에는 영화를 보러 갔어요.
先週末は映画を見に行きました。

| 0722 | **주머니** | 名 | ポケット |
| | | 類 | 호주머니 |

例 추우면 주머니에 손을 넣으세요.
寒ければポケットに手を入れてください。

| 0723 | **주문** | 名 | 注文 |

例 음료수 주문 했어요?
飲み物、注文しましたか。

| 0724 | **주변** | 名 | 周辺、周り |
| | | 類 | 주위 |

例 학교 주변에 편의점이 많아요.
学校の周辺にコンビニが多いです。

| 0725 | **주부** | 名 | 主婦 |
| | | 類 | 가정주부 |

例 주부도 좋지만 일도 하고 싶어요.
主婦も良いですが、仕事もしたいです。

| 0726 | **주사** | 名 | 注射 |

例 독감 예방 주사를 맞았어요.
インフルエンザの予防注射を受けました。

| 0727 | **주소** | 名 | 住所、アドレス |

例 이 서류에 주소와 휴대폰 번호를 적어 주세요.
この書類に住所と電話番号を書いてください。

0728 주스 名 ジュース

例 매일 아침 오렌지 주스를 마셔요.
毎朝オレンジジュースを飲みます。

0729 주위 名 周囲、周り
類 주변

例 집 주위는 조용해요.
家の周りは静かです。

0730 주인 名 主人、持ち主、所有者

例 가게 주인은 5층에 살아요.
店の主人は5階に住んでいます。

0731 주차 名 駐車

例 여기는 주차 금지입니다.
ここは駐車禁止です。

ㅈ

0732 주황색 名 橙色、オレンジ色

例 저는 주황색을 가장 좋아해요.
私は橙色が一番好きです。

0733 준비 名 準備

例 준비가 끝나면 바로 시작해 주세요.
準備が終わったらすぐに始めてください。

0734	줄01	名	紐
		類	끈

例 책을 이 줄로 묶어 주세요.
本をこの紐で束ねてください。

0735	줄02	名	列

例 택시 타는 곳에서 줄을 서서 기다렸어요.
タクシー乗り場で列に並んで待っていました。

0736	줄03	名	線
		類	선

例 이 줄을 밟지 마십시오.
この線を踏まないでください。

0737	중	名	中

例 근무 중에는 핸드폰을 사용할 수 없어요.
勤務中は携帯電話が使えません。

0738	중간	名	中間、間、真ん中
		類	가운데

例 나고야는 도쿄과 오사카의 중간에 있어요.
名古屋は東京と大阪の間にあります。

0739	중국	名	中国

例 여름 방학에 중국에 여행을 가요.
夏休みに中国に旅行に行きます。

0740 중국집
[중국찝]

名　中華料理屋

例　회사 근처에 맛있는 중국집을 아세요?
会社の近くに美味しい中華料理屋を知っていますか。

0741 중심

名　中心

例　서울은 세계의 중심 도시가 되었습니다.
ソウルは世界の中心都市となりました。

0742 중앙

名　中央、真ん中　　反　주변
類　한가운데

例　우체국은 마을의 거의 중앙에 있어요.
郵便局は町のほぼ真ん中にあります。

0743 중학교
[중학꾜]

名　中学校

例　지금도 가끔 중학교 친구를 만나요.
今でも時々中学校の友達に会います。

0744 중학생
[중학쌩]

名　中学生

例　아들이 내년에 중학생이 됩니다.
息子が来年中学生になります。

0745 지각

名　遅刻

例　늦잠을 자서 지각을 했어요.
寝坊して遅刻をしました。

ㅈ

0746	**지갑**	名	財布

例 지난주에 지하철에서 지갑을 잃어버렸어요.
先週地下鉄で財布を無くしました。

0747	**지난달**	名	先月	反	다음 달, 내달

例 지난달에 핸드폰을 샀어요.
先月ケータイを買いました。

0748	**지난번**	名	この間、この前
		類	저번

例 지난번에는 못 가서 죄송해요.
この前は行けなくて申し訳ありません。

0749	**지난주**	名	先週
		類	전주

例 지난주는 일이 많아서 주말에도 출근했어요.
先週は仕事が多くて週末も出勤しました。

0750	**지난해**	名	去年、昨年
		類	작년, 전년

例 한국 경제는 지난해 오 퍼센트 성장했습니다.
韓国経済は昨年5パーセント成長しました。

0751	**지도**	名	地図

例 앱으로 지도를 보면서 왔어요.
アプリで地図を見ながら来ました。

0752 지방

名 地方

例 내일 남부 지방에 큰비가 예상됩니다.
明日南部地方に大雨が予想されます。

0753 지우개

名 消しゴム

例 연필로 쓴 것은 지우개로 지울 수 있어요.
鉛筆で書いたものは消しゴムで消すことができます。

0754 지하철

名 地下鉄
類 전철

例 지하철이 버스보다 편리해요.
地下鉄がバスより便利です。

0755 직업

名 職業、仕事
類 일

例 그 사람 직업이 뭐예요?
その人の職業は何ですか。

0756 직원

名 職員、スタッフ
類 점원

例 이 회사에는 직원이 많습니다.
この会社には職員が多いです。

0757 직장
[직짱]

名 職場、会社
類 회사

例 저는 새 직장을 찾고 있어요.
私は新しい職場を探しています。

ㅈ

0758 🎧 **진짜**
名 本物　　反 가짜

例 이 가방은 진짜 가죽이 아닙니다.
そのカバンは本物の革ではありません。

0759 🎧 **질문**
名 質問、問い　反 대답
類 문의

例 질문이 있는 사람은 손을 들어 주세요.
質問がある人は手を挙げてください。

0760 🎧 **짐**
名 荷物

例 짐이 너무 무거워요.
荷物がとても重いです。

0761 🎧 **집**
名 家

例 수업 후에는 집에 가요.
授業後は家に帰ります。

0762 🎧 **집들이**
[집뜨리]
名 引っ越し祝いのパーティー

例 집들이에 직장 동료를 초대했어요.
引っ越し祝いのパーティーに職場の同僚を招待しました。

0763 🎧 **집안일**
[지반닐]
名 家事
類 살림, 가사

例 집안일은 해도 해도 끝이 없어요.
家事はしてもしても終わりがありません。

0764	**짝**	名 相手、対、ペア

例 민수와 짝이 되었어요.
ミンスとペアになりました。

0765	**쪽**	名 側、方
		類 편

例 이 버스는 학교 쪽으로 가요.
このバスは学校の方に行きます。

ㅈ

0766

차01

名 車

類 자동차

例 차를 타고 약속 장소까지 갔어요.
車に乗って約束の場所まで行きました。

0767

차02

名 茶

例 식후에는 차를 마셔요.
食後はお茶を飲みます。

0768

차례

名 順番、順序

類 순서

例 시간이 없으니까 빨리 차례를 정합시다.
時間がないから、はやく順番を決めましょう。

0769

찬물

名 冷水

類 냉수

反 더운물, 온수

例 매일 아침 찬물로 세수를 합니다.
毎朝冷水で顔を洗います。

0770

창문

名 窓

類 창

例 바람이 차니까 창문을 닫아 주세요.
風が冷たいので窓を閉めてください。

0771

채소

名 野菜

類 야채

例 고기와 채소를 함께 넣고 볶으세요.
肉と野菜を一緒に入れて炒めてください。

0772	**책**	名	本
		類	도서

例 시간이 있으면 책을 읽어요.
時間があれば本を読みます。

0773	**책상** [책쌍]	名	机

例 책상에서 책을 읽거나 공부를 합니다.
机で本を読んだり勉強したりします。

0774	**책장** [책짱]	名	本棚
		類	책꽂이

例 책상 옆에는 책장이 있어요.
机の隣には本棚があります。

0775	**첫날** [천날]	名	初日

例 오픈 첫날부터 손님이 많네요.
オープン初日からお客さんが多いですね。

0776	**첫째**	名	1番目、最初

例 매달 첫째 월요일은 휴일입니다.
毎月最初の月曜日は休みです。

0777	**청년**	名	青年、若者
		類	젊은이

例 그 사람은 부지런하고 예의 바른 청년입니다.
その人は真面目で礼儀正しい青年です。

大

0778 청바지 名 ジーンズ

例 청바지가 잘 어울리시네요.
ジーンズがよくお似合いですね。

0779 청소 名 掃除

例 주말에 청소를 해서 집이 아주 깨끗해요.
週末に掃除をしたので家がとてもきれいです。

0780 청소년 名 青少年

例 이 영화는 청소년도 볼 수 있어요.
この映画は青少年も見られます。

0781 체육관 名 体育館
[체육꽌]

例 모든 학생들은 지금 바로 체육관으로 모여 주세요.
すべての学生は今すぐ体育館に集まってください。

0782 초대 名 招待
類 초청

例 오늘은 초대해 주셔서 대단히 감사합니다.
今日は招待してくださり誠にありがとうございます。

0783 초대장 名 招待状
[초대짱] 類 초청장

例 친구에게서 결혼식 초대장을 받았어요.
友達から結婚式の招待状をもらいました。

0784 초등학교
[초등학꾜]

名 小学校

例 제 꿈은 초등학교 선생님입니다.
私の夢は小学校の先生です。

0785 초등학생
[초등학쌩]

名 小学生

例 제게는 초등학생 아이가 한 명 있습니다.
私には小学生の子どもが一人います。

0786 초록색
[초록쌕]

名 緑色
類 녹색

例 초록색 옷을 입고 있어요.
緑色の服を着ています。

0787 최고

名 最高　　反 최저

例 오늘 서울 낮 최고 기온은 삼십오 도입니다.
今日ソウルの昼間の最高気温は35度です。

0788 최근

名 最近
類 요즘, 요새

例 최근에 일을 그만둬서 시간이 많이 있어요.
最近仕事をやめたので時間がたくさんあります。

0789 추석

名 お盆
類 한가위

例 추석은 한국 최대 명절의 하나입니다.
お盆は韓国最大の祝日の一つです。

大

0790	축구 [축꾸]	名	サッカー		

例 주말에는 친구들과 축구를 해요.
週末は友達とサッカーをします。

0791	축하 [추카]	名	祝い、祝賀		

例 생신을 진심으로 축하드립니다.
お誕生日を心よりお祝い申し上げます。

0792	출구	名	出口	反	입구

例 지하철 출구 앞에서 기다릴게요.
地下鉄の出口の前でお待ちします。

0793	출근	名	出勤	反	퇴근

例 출근 준비로 바빠요.
出勤の準備で忙しいです。

0794	출발	名	出発	反	도착

例 이제 슬슬 출발 시간이네요.
もうそろそろ出発時間ですね。

0795	출석 [출썩]	名	出席	反	결석
		類	참석		

例 출석 인원은 모두 몇 명입니까?
出席人数は全部で何人ですか。

0796 출입

名 出入り、立ち入り

例 이 건물은 외부인 출입 금지입니다.
この建物は外部の立ち入り禁止です。

0797 출입국
[추립꾹]

名 出入国

例 오후에는 비자 연장 때문에 출입국관리사무소에 가야 돼요.
午後はビザの延長のために、入国管理局にいかなくてはなりません。

0798 출장
[출짱]

名 出張

例 사장님은 출장으로 일본에 가셨습니다.
社長は出張で日本に行かれました。

0799 출퇴근

名 通勤

例 출퇴근 시간에는 지하철과 버스에 사람들이 많습니다.
通勤時間には地下鉄とバスに人が多いです。

0800 춤

名 踊り、ダンス
類 댄스

例 춤과 노래가 제 특기예요.
ダンスと歌が私の特技です。

0801 취미

名 趣味

例 제 취미는 영화 감상이에요.
私の趣味は映画鑑賞です。

0802 **취직**

名 就職　　　反 실업
類 취업

例 졸업 후에는 취직을 하려고 해요.
卒業後には就職をしようと思います。

0803 **치과**
[치꽈]

名 歯科、歯医者

例 이가 아파서 치과에 갔어요.
歯が痛くて歯医者に行きました。

0804 **치료**

名 治療

例 이 병은 치료가 오래 걸립니다.
この病気は治療に時間がかかります。

0805 **치마**

名 スカート

例 치마보다 바지가 편해요.
スカートよりズボンが楽です。

0806 **치약**

名 歯磨き粉

例 칫솔하고 치약을 세트로 팔아요.
歯ブラシと歯磨き粉をセットで売っています。

0807 **치킨**

名 チキン

例 저는 양념치킨을 좋아해요.
私はヤンニョムチキンが好きです。

0808 친구 　名　友達

例　주말에 친구하고 영화를 보러 갈 거예요.
週末に友達と映画を見に行くつもりです。

0809 친척 　名　親戚

例　설날에는 친척이 다 모여요.
お正月には親戚がみんな集まります。

0810 칠판 　名　黒板

例　칠판이 멀어서 잘 안 보여요.
黒板が遠くてよく見えません。

0811 침대 　名　寝台、ベッド

例　제 방에는 큰 침대가 있어요.
私の部屋には大きなベッドがあります。

0812 침실 　名　寝室、ベッドルーム
　　　　類　방

例　침실이 조용해서 잠이 잘 와요.
寝室が静かでよく眠れます。

0813 칫솔 [칟쏠]　名　歯ブラシ

例　저는 칫솔을 한 달에 한 번 바꿔요.
私は歯ブラシを一か月に一回変えます。

大

0814 카드01　名 カード

例 친구에게서 크리스마스 카드를 받았어요.
友達からクリスマスカードをもらいました。

0815 카드02　名 クレジットカード
類 신용카드

例 카드로 지불했어요.
クレジットカードで払いました。

0816 카메라　名 カメラ

例 카메라로 사진을 찍습니다.
カメラで写真を取ります。

0817 카페　名 カフェ
類 커피숍, 다방

例 카페에서 커피라도 한잔 어때요?
カフェでコーヒーでも一杯どうですか。

0818 칼　名 刃、刃物、ナイフ

例 여기를 칼로 잘라 주세요.
ここをナイフで切ってください。

0819 캐나다　名 カナダ

例 저는 꽤 오랫동안 캐나다에서 살았어요.
私はかなり長い間、カナダに住んでいました。

커피 0820

名 コーヒー

例 아침마다 커피를 마셔요.
毎朝コーヒーを飲みます。

커피숍 0821

名 コーヒーショップ
類 카페, 다방

例 학교 근처 커피숍에서 친구와 커피를 마셨어요.
学校の近くのコーヒーショップで友達とコーヒーを飲みました。

컴퓨터 0822

名 コンピューター、パソコン

例 작년에 산 컴퓨터가 고장났어요.
去年買ったコンピューターが故障しました。

컵 0823

名 コップ、杯
類 잔

例 컵이 예쁘네요.
コップが可愛いですね。

케이크 0824

名 ケーキ

例 생일 케이크는 어디서 주문했어요?
誕生日ケーキはどこで注文しましたか。

코 0825

名 鼻

例 감기가 심해서 코가 막혔어요.
風邪がひどくて鼻が詰まっています。

ㅋ

0826 **코끼리** 名 象

例 코끼리는 코가 길어요.
象は鼻が長いです。

0827 **콘서트** 名 コンサート
類 음악회, 연주회

例 지난주에 친구와 콘서트에 갔다왔어요.
先週、友達とコンサートに行ってきました。

0828 **콜라** 名 コーラ

例 피자에는 역시 콜라가 최고예요.
ピザにはやはりコーラが最高です。

0829 **콧물** 名 鼻水
[콘물]

例 꽃가루 알레르기 때문에 콧물이 나요.
花粉症で鼻水が出ます。

0830 **콩** 名 豆

例 두부는 콩으로 만들어요.
豆腐は豆で作ります。

0831 **크리스마스** 名 クリスマス
類 성탄절

例 한국의 크리스마스는 공휴일이에요.
韓国のクリスマスは祝日です。

0832 **키**

名　背、背丈
類　신장

例　제 동생은 키가 저보다 커요.
　　私の弟（妹）は背が私より高いです。

ㅋ

0833 **탁구**
[탁꾸]

名 卓球

例 탁구를 치러 탁구장에 갔어요.
卓球をしに卓球場に行きました。

0834 **태국**

名 タイ国
類 타이

例 여름에는 태국으로 여행을 가고 싶어요.
夏にはタイに旅行に行きたいです。

0835 **태권도**
[태꿘도]

名 テコンドー

例 태권도는 한국의 운동입니다.
テコンドーは韓国のスポーツです。

0836 **태극기**
[태극끼]

名 韓国の国旗、太極旗

例 태극기는 한국의 국기 이름이에요.
太極旗は韓国の国旗の名前です。

0837 **태도**

名 態度
類 자세

例 어제 간 식당은 점원의 태도가 좋지 않았어요.
昨日行った食堂は店員の態度がよくなかったです。

0838 **태풍**

名 台風

例 태풍 때문에 비행기가 취소됐어요.
台風のせいで飛行機がキャンセルされました。

0839 **택배**
[택빼]

名 宅配、宅配便

例 선물을 택배로 보냈어요.
プレゼントを宅配便で送りました。

0840 **택시**
[택씨]

名 タクシー

例 가까운 곳은 택시가 편리해요.
近いところはタクシーが便利です。

0841 **터미널**

名 ターミナル

例 버스 터미널에서 만나기로 했어요.
バスターミナルで会うことにしました。

0842 **테니스**

名 テニス

例 저는 테니스 동아리에서 활동하고 있어요.
私はテニスサークルで活動しています。

0843 **테이블**

名 テーブル
類 탁자

例 죄송하지만 테이블을 치워 주세요.
申し訳ありませんが、テーブルを片付けてください。

0844 **텔레비전**

名 テレビ
類 티브이

例 시험 기간에는 텔레비전을 거의 보지 못해요.
試験期間にはテレビがほとんど見られません。

E

0845 토끼 　名 うさぎ

例 　토끼는 작고 귀여운 동물이에요.
　　ウサギは小さくて可愛い動物です。

0846 토마토 　名 トマト

例 　토마토는 과일이 아니라 야채예요.
　　トマトは果物ではなく野菜です。

0847 토요일 　名 土曜日

例 　매주 토요일에는 산에 오릅니다.
　　毎週土曜日は山に登ります。

0848 통장 　名 通帳

例 　통장을 만들려면 신분증이 필요합니다.
　　通帳を作るには身分証明書が必要です。

0849 퇴근 　名 退勤 　反 출근

例 　요즘 일이 많아서 퇴근이 늦어요.
　　最近仕事が多くて退勤が遅いです。

0850 퇴원 　名 退院 　反 입원

例 　퇴원은 언제예요?
　　退院はいつですか。

0851	**튀김**	名 揚げ物

例 떡볶이하고 튀김도 시킬까요?
トッポギと揚げ物も注文しましょうか。

0852	**트럭**	名 トラック

例 이삿짐을 트럭에 실어 주세요.
引越しの荷物をトラックに載せてください。

0853	**티셔츠**	名 Ｔシャツ
		類 티

例 어제 백화점에서 청바지와 티셔츠를 샀어요.
昨日デパートでジーンズとＴシャツを買いました。

0854	**팀**	名 チーム
		類 조

例 올해는 우리 팀이 우승을 했습니다.
今年はうちのチームが優勝しました。

E

| 0855 | **파란색** | 名 | 青、青色 |
| | | 類 | 청색 |

例 저는 파란색 옷을 자주 입는 편이에요.
私は青色の服をよく着る方です。

| 0856 | **파티** | 名 | パーティー、宴会 |
| | | 類 | 모임, 잔치 |

例 오늘 저녁에 우리 집에서 파티를 해요.
今夜、我が家でパーティーをします。

| 0857 | **편의점** | 名 | コンビニエンスストア |
| | [펴니점] | | |

例 요즘 편의점에서 아르바이트를 하고 있어요.
最近コンビニでアルバイトをしています。

| 0858 | **편지** | 名 | 手紙 |

例 처음으로 한국어로 편지를 써 봤어요.
初めて韓国語で手紙を書いてみました。

| 0859 | **평일** | 名 | 平日 | 反 | 주말 |

例 유원지에는 평일에 사람이 별로 없어요.
遊園地には平日に人があまりいません。

| 0860 | **포도** | 名 | ぶどう |

例 이 포도는 바로 먹을 수 있어요.
このぶどうはすぐに食べられます。

0861	**포장**	名	包装、ラッピング、梱包

例 선물용이니까 포장해 주세요.
お土産用なのでラッピングしてください。

0862	**표**	名	切符、チケット
		類	티켓

例 표가 벌써 다 매진되었어요.
チケットがもうすべて売り切れました。

0863	**풍경**	名	風景
		類	경치

例 아름다운 풍경을 보면서 와인을 마셔요.
美しい風景を見ながらワインを飲みます。

0864	**프라이팬**	名	フライパン

例 프라이팬에 재료를 넣고 볶으세요.
フライパンに材料を入れて炒めてください。

0865	**프랑스**	名	フランス

例 이 사진은 프랑스에 갔을 때 찍은 사진이에요.
この写真はフランスに行ったときに撮った写真です。

0866	**프로그램**	名	番組
		類	프로

例 요즘은 여행 프로그램이 인기예요.
最近は旅行番組が人気です。

ㅍ

0867	피	名	血
		類	혈액

例 넘어져서 무릎에서 피가 났어요.
転んで膝から血が出ました。

0868	피아노	名	ピアノ

例 요즘도 매일 피아노 연습을 하고 있어요.
最近も毎日ピアノの練習をしています。

0869	피자	名	ピザ

例 배가 고픈데 피자라도 시켜 먹을까요?
お腹が空いたので、ピザでも頼んで食べましょうか。

0870	필통	名	筆箱

例 필통 안에 볼펜이 들어 있어요
筆箱の中にボールペンが入っています。

0871 **하늘** 名 空

例 하늘이 맑아요.
空が晴れています。

0872 **하늘색**
[하늘쌕]
名 水色、空色

例 하늘색 원피스가 시원해 보이네요.
水色のワンピースが涼しく見えますね。

0873 **하루** 名 一日

例 오늘 하루 어땠어요?
今日一日どうでしたか。

0874 **하숙집**
[하숙찝]
名 下宿

例 우리 하숙집 아주머니는 음식 솜씨가 아주 좋아요.
私の下宿のおばさんは料理の腕前がとてもよいです。

0875 **하얀색** 名 白、白色 反 검은색, 까만색
類 백색, 흰색

例 하얀색 셔츠에 청바지를 입어요.
白色のシャツにジーンズを履きます。

0876 **학교**
[학꾜]
名 学校

例 오늘은 주말이라서 학교에 안 가요.
今日は週末なので学校に行きません。

ㅎ

| 0877 | **학기** [학끼] | 名 | 学期 |

例 한국은 삼 월부터 학기가 시작됩니다.
韓国は3月から学期が始まります。

| 0878 | **학년** [항년] | 名 | 学年、年生 |

例 저는 대학교 일 학년이에요.
私は大学一年生です。

| 0879 | **학생** [학쌩] | 名 | 学生 |

例 한국어를 배우는 학생들이 늘어나고 있어요.
韓国語を学ぶ学生が増えています。

| 0880 | **학생증** [학쌩쯩] | 名 | 学生証 |

例 학생증을 잃어버려서 다시 발급해야 해요.
学生証を失くしてしまったので、再発行しなければなりません。

| 0881 | **학원** | 名 | 塾、教習所 |

例 어릴 때 피아노 학원에 다녔어요.
子どもの頃ピアノ塾に通いました。

| 0882 | **한국** | 名 | 韓国 |
| | | 類 | 대한민국 |

例 일본에서 한국까지는 비행기로 두 시간이면 갈 수 있어요.
日本から韓国までは飛行機で2時間で行けます。

0883 **한글**	名 ハングル

例 저는 한글을 읽을 수 있어요.
私はハングルが読めます。

0884 **한복**	名 韓服

例 한복은 한국의 전통 의상입니다.
韓服は韓国の伝統衣装です。

0885 **한식**	名 韓国料理

例 저는 양식보다 한식을 좋아합니다.
私は洋食よりも韓国料理が好きです。

0886 **할머니**	名 おばあさん、祖母

例 설에는 시골 할머니를 찾아뵐 거예요.
お正月には田舎のおばあさんを訪ねます。

0887 **할아버지**	名 おじいさん、祖父

例 우리 할아버지는 올해 백 세가 되세요.
私のおじいさんは今年100歳になります。

| 0888 **할인** | 名 割引 |
	類 세일

例 이것은 할인 가격입니다.
これは割引価格です。

ㅎ

| 0889 | 항공 | 名 | 航空 |

例 올해 항공 회사에 입사했어요.
今年航空会社に入社しました。

| 0890 | 항공권
[항꽁꿘] | 名 | 航空券 |
| | | 類 | 비행기표 |

例 여권과 항공권을 보여주세요.
パスポートと航空券を見せてください。

| 0891 | 해 | 名 | 太陽、日 |
| | | 類 | 태양 |

例 도쿄는 서울보다 해가 빨리 떠요.
東京はソウルより日が早く昇ります。

| 0892 | 해외 | 名 | 海外 | 反 | 국내 |
| | | 類 | 국외, 외국 |

例 내년에는 해외로 여행을 가고 싶어요.
来年は海外に旅行に行きたいです。

| 0893 | 햇빛
[핻삗] | 名 | 日差し |
| | | 類 | 햇볕 |

例 낮에는 햇빛이 강해서 양산을 써요.
日中は日差しが強くて日傘を差します。

| 0894 | 행동 | 名 | 行動 |
| | | 類 | 동작 |

例 중요한 것은 생각을 행동으로 옮기는 것입니다.
重要なことは考えを行動に移すことです。

0895	**행복**	名 幸福、幸せ 反 불행	
		類 행운	

例 행복은 늘 가까이에 있어요.
幸せはいつも近くにあります。

0896	**행사**	名 行事、イベント
		類 이벤트

例 이번 행사에 여러분들의 많은 참여를 부탁드립니다.
今回のイベントに皆さんの多くの参加をお願いいたします。

0897	**허리**	名 腰

例 허리를 다쳐서 움직일 수가 없어요.
腰を痛めて動くことができません。

0898	**헬스클럽**	名 ジム
		類 헬스장

例 운동을 하고 싶어서 헬스클럽에 다니기 시작했어요.
運動がしたくてジムに通い始めました。

0899	**혀**	名 舌

例 너무 매워서 혀가 얼얼해요.
辛すぎて舌がひりひりします。

0900	**현금**	名 現金
		類 현찰

例 요즘에는 현금보다 카드를 써요.
最近は現金よりクレジットカードを使います。

ㅎ

| 0901 | **현재** | 名 現在 |

例 과거보다 현재가 중요해요.
過去より現在が大事です。

| 0902 | **형** | 名 （男性から）兄 |

例 저는 세 살 위인 형이 한 명 있어요.
私は3歳上の兄が一人います。

| 0903 | **형제** | 名 兄弟 |

例 저 집은 형제 사이가 무척 좋아요.
あの家は兄弟の仲がかなりいいです。

| 0904 | **호랑이** | 名 虎、トラ |

例 한국의 옛날 이야기에는 호랑이가 자주 나옵니다.
韓国の昔話には、虎がよく出てきます。

| 0905 | **호수** | 名 湖 |

例 지난주 일요일에 호수에 낚시를 갔어요.
先週の日曜日に湖に釣りに行きました。

| 0906 | **호텔** | 名 ホテル |

例 여행을 가서 친구와 호텔에서 묵었어요.
旅行に行って友達とホテルに泊まりました。

| 0907 | **홍차** | 名 紅茶 |

例 저는 커피보다 따뜻한 홍차를 자주 마셔요.
私はコーヒーより暖かい紅茶をよく飲みます。

| 0908 | **화가** | 名 画家 |

例 유명한 화가의 전시회를 보고 왔어요.
有名な画家の展示会を見てきました。

| 0909 | **화요일** | 名 火曜日 |

例 이 미용실은 매주 화요일이 정기 휴일입니다.
この美容室は毎週火曜日が定休日です。

| 0910 | **화장실** | 名 トイレ、お手洗い |

例 실례합니다만 화장실이 어디 있나요?
すみませんが、トイレはどこでしょうか。

| 0911 | **화장품** | 名 化粧品 |

例 여행을 갔을 때 면세점에서 화장품을 샀어요.
旅行に行ったとき、免税店で化粧品を買いました。

| 0912 | **환자** | 名 患者 |

例 그 의사 선생님은 환자에게 정말 친절해요.
そのお医者さんは患者にとても親切です。

ㅎ

0913 **환전** 名 両替

例 해외 여행을 가기 전에 미리 환전을 했어요.
海外旅行に行く前に両替をしました。

0914 **회사** 名 会社
類 직장

例 집에서 회사까지는 지하철을 타요.
家から会社までは地下鉄に乗ります。

0915 **회사원** 名 会社員

例 제 남자 친구는 회사원이에요.
私の彼氏は会社員です。

0916 **회색** 名 灰色

例 저는 회색 옷을 자주 입어요.
私は灰色の服をよく着ます。

0917 **회원** 名 会員
類 멤버

例 먼저 회원 가입을 해 주세요.
まず会員登録をしてください。

0918 **회의**
[훼이] 名 会議
類 미팅

例 다음 주 월요일 오전에 회의가 있습니다.
来週月曜日の午前に会議があります。

0919 **횡단보도** 　名 横断歩道

例 횡단보도를 건너서 쭉 가세요.
横断歩道を渡ってまっすぐ行ってください。

0920 **후** 　名 （時間の）後　　反 전
　　　類 다음, 뒤

例 수업 후에는 반드시 복습을 하세요.
授業後は必ず復習をしてください。

0921 **후배** 　名 後輩　　　反 선배

例 이쪽은 제 대학 후배예요.
こちらは私の大学の後輩です。

0922 **휴가** 　名 休暇
　　　類 여가

例 이번 휴가는 바다로 갈 생각이에요.
今回の休暇は海に行くつもりです。

0923 **휴게실** 　名 休憩室

例 휴게실은 사 층입니다.
休憩室は 4 階です。

0924 **휴대폰** 　名 携帯電話
　　　類 핸드폰

例 영화관에서는 휴대폰을 꺼 주세요.
映画館では携帯電話(の電源)を切ってください。

ㅎ

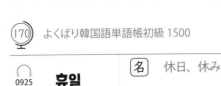
0925	**휴일**	名	休日、休み

例 휴일에는 보통 영화를 봐요.
休日にはよく映画を見ています。

0926	**휴지**01	名	ちり紙、ごみ
		類	쓰레기

例 이곳에 휴지를 버리지 마세요.
ここにごみを捨てないでください。

0927	**휴지**02	名	トイレットペーパー
		類	화장지

例 화장실에 휴지가 없어요.
トイレにトイレットペーパーがありません。

0928	**휴지통**	名	ごみ箱
		類	쓰레기통

例 휴지는 휴지통에 버리세요.
ごみはごみ箱へ捨ててください。

0929	**희망** [히망]	名	希望
		類	소원, 꿈

例 마지막까지 희망을 버리지 마세요.
最後まで希望を捨ててはいけません。

0930	**흰색** [힌색]	名	白色
		反	검은색
		類	하얀색

例 새로 산 자동차는 흰색이에요.
新しく買った車は白色です。

0931 **힘**　　　　[名]　力

[例]　밥을 안 먹어서 힘이 없어요.
ご飯を食べなかったので力がありません。

動詞の音声は、QR コードを
スキャンするとダウンロードいただけます。

2

動詞

0932	**가다**	動 行く	反 오다

※ 갑니다, 가요, 가면

例 저는 학교에 가요.
私は学校に行きます。

0933	**가르치다**	動 教える	反 배우다

※ 가르칩니다, 가르쳐요, 가르치면

例 선생님이 한국어를 가르칩니다.
先生が韓国語を教えます。

0934	**가져가다**	動 持っていく	反 가져오다

※ 가져갑니다, 가져가요, 가져가면

例 비가 오니까 우산을 가져가세요.
雨が降るから、傘を持っていってください。

0935	**가져오다**	動 持ってくる	反 가져가다

※가져옵니다, 가져와요, 가져오면

例 내일은 숙제를 꼭 가져오세요.
明日は宿題を必ず持ってきてください。

0936	**갈아입다** [가라입따]	動 着替える	

※ 갈아입습니다, 갈아입어요, 갈아입으면

例 밥을 먹고 옷을 갈아입어요.
ご飯を食べてから服を着替えます。

0937	**갈아타다**	動 乗り換える	

※ 갈아탑니다, 갈아타요, 갈아타면

例 지하철에서 버스로 갈아타요.
地下鉄からバスに乗り換えます。

ㄱ

0938 감다 [감따] 　動　（髪を）洗う

※ 감습니다, 감아요, 감으면

例　저는 아침에 머리를 감아요.
私は朝、髪を洗います。

0939 갚다 [갑따] 　動　返す　　反　빌리다

※ 갚습니다, 갚아요, 갚으면

例　빌린 돈을 갚아야 해요.
借りたお金を返さなければなりません。

0940 건너다 　動　渡る

※ 건넙니다, 건너요, 건너면

例　길을 건너면 우체국이 있어요.
道を渡ると郵便局があります。

0941 걷다 [걷따] 　動　歩く

※ 걷습니다, 걸어요, 걸으면

例　학교까지 걸어서 가요.
学校まで歩いていきます。

0942 걸다 　動　掛ける

※ 겁니다, 걸어요, 걸면

例　벽에 시계를 걸었어요.
壁に時計を掛けました。

0943 걸리다01 　動　（病気に）かかる　　反　낫다, 치료되다

※ 걸립니다, 걸려요, 걸리면

例　감기에 걸렸어요.
風邪を引きました。

0944 걸리다₀₂

動 （時間が）かかる

※ 걸립니다, 걸려요, 걸리면

例 학교에서 집까지 시간이 얼마나 걸려요?
学校から家まで時間がどれぐらいかかりますか。

0945 계시다

動 いらっしゃる

※ 계십니다, 계세요, 계시면

例 할아버지는 고향에 계십니다.
おじいさんは故郷にいらっしゃいます。

0946 고르다

動 選ぶ
類 선택하다

※ 고릅니다, 골라요, 고르면

例 메뉴를 고르세요.
メニューを選んでください。

0947 고치다

動 直す、修理する
類 수리하다

※ 고칩니다, 고쳐요, 고치면

例 컴퓨터를 고치러 갔어요.
パソコンを直しに行きました。

0948 굽다
[굽따]

動 焼く

※ 굽습니다, 구워요, 구우면

例 고기를 굽기 시작할까요?
肉を焼き始めましょうか。

0949 그리다

動 描く

※ 그립니다, 그려요, 그리면

例 저는 자주 그림을 그립니다.
私はよく絵を描きます。

ㄱ

0950 그만두다 　動　辞める

※ 그만둡니다, 그만둬요, 그만두면

例　아르바이트를 그만두었습니다.
アルバイトを辞めました。

0951 그치다 　動　止む　　反　계속하다, 계속되다

類　멈추다

※ 그칩니다, 그쳐요, 그치면

例　비가 그치면 출발할까요?
雨が止んだら、出発しましょうか。

0952 기다리다 　動　待つ

※ 기다립니다, 기다려요, 기다리면

例　잠시만 기다리십시오.
少々お待ちください。

0953 기르다 　動　飼う

類　키우다

※ 기릅니다, 길러요, 기르면

例　저는 강아지를 기르고 있어요.
私は犬を飼っています。

0954 기억나다
[기엉나다]
　動　思い出す

※ 기억납니다, 기억나요, 기억나면

例　그 사람 이름이 기억나지 않아요.
その人の名前が思い出せません。

0955 깎다
[깍따]
　動　値切る、安くする

類　내리다, 할인하다

※ 깎습니다, 깎아요, 깎으면

例　조금만 깎아 주세요.
少しだけ安くしてください。

0956	**깨다**	動 （目が）覚める　反 자다

※ 깹니다, 깨요, 깨면

例　커피를 마셔도 잠이 안 깨요.
コーヒーを飲んでも目が覚めません。

0957	**꺼내다**	動 取り出す　反 넣다

※ 꺼냅니다, 꺼내요, 꺼내면

例　가방에서 우산을 꺼냈어요.
カバンから傘を取り出しました。

0958	**꾸다**	動 （夢を）見る

※ 꿉니다, 꿔요, 꾸면

例　저는 꿈을 잘 꿔요.
私はよく夢を見ます。

0959	**끄다**	動 （電源を）消す　反 켜다

※ 끕니다, 꺼요, 끄면

例　영화관에서는 휴대전화의 전원을 꺼 주세요.
映画館では携帯電話の電源を切ってください。

0960	**끊다** [끈타]	動 切る

※ 끊습니다, 끊어요, 끊으면

例　전화를 끊었어요.
電話を切りました。

0961	**끓이다**	動 沸かす、（ラーメンなどを）作る

※ 끓입니다, 끓여요, 끓이면

例　차를 마시려고 물을 끓였어요.
お茶を飲もうとお湯を沸かしました。

ㄱ

| 0962 | **끝나다**
[끈나다] | 動 終わる | 反 시작되다 |
| | | 類 종료되다 | ※ 끝납니다, 끝나요, 끝나면 |

例 수업이 끝나면 연락 주세요.
授業が終わったら、連絡ください。

| 0963 | **끝내다**
[끈내다] | 動 終える、終わらせる | 反 시작하다 |
| | | 類 마치다 | ※ 끝냅니다, 끝내요, 끝내면 |

例 숙제는 미리 끝냈어요.
宿題は前もって終わらせました。

| 0964 | **끼다** | 動 かける、はめる | 反 빼다 |
| | | | ※ 낍니다, 껴요, 끼면 |

例 저는 눈이 나빠서 안경을 껴요.
私は目が悪くて、眼鏡をかけています。

0965 **나가다**	動 出ていく、出る	反 들어오다

※ 나갑니다, 나가요, 나가면

例 아버지는 늘 아침 일찍 집을 나가세요.
父はいつも朝早く家を出ます。

0966 **나누다**01	動 分ける

※ 나눕니다, 나눠요, 나누면

例 하나를 시켜서 나눠서 먹을까요?
一つ頼んで分けて食べましょうか。

0967 **나누다**02	動 (話を) 交わす

※ 나눕니다, 나눠요, 나누면

例 회의 후에 잠깐 이야기를 나눴어요.
会議の後にちょっと話を交わしました。

0968 **나다**01	動 (事件が) 起きる
	類 발생하다, 일어나다

※ 납니다, 나요, 나면

例 큰길에서 교통사고가 났어요.
大通りで交通事故が起きました。

0969 **나다**02	動 (匂いが) する

※ 납니다, 나요, 나면

例 맛있는 냄새가 나요.
美味しそうな匂いがします。

0970 **나다**03	動 (涙、汗などが) 出る	反 그치다, 멈추다
	類 흐르다	

※ 납니다, 나요, 나면

例 너무 기뻐서 눈물이 나요.
嬉しすぎて、涙が出ます。

ㄴ

🎧 0971 나다₀₄　**動** （思い）出す

※ 납니다, 나요, 나면

例 그 사람 이름이 생각이 안 나요.
その人の名前が思い出せません。

🎧 0972 나오다　**動** 出てくる、出る　**反** 들어가다

※ 나옵니다, 나와요, 나오면

例 잠깐 밖으로 나올 수 있어요?
ちょっと外に出られますか。

🎧 0973 나타나다　**動** 現れる　**反** 사라지다
　　　　　　　　　　類 등장하다

※ 나타납니다, 나타나요, 나타나면

例 자전거가 갑자기 나타났어요.
自転車が突然現れました。

🎧 0974 날다　**動** 飛ぶ

※ 납니다, 날아요, 날면

例 새처럼 하늘을 날고 싶어요.
鳥のように空を飛びたいです。

🎧 0975 남기다　**動** 残す

※ 남깁니다, 남겨요, 남기면

例 음식을 남기지 마세요.
食べ物を残さないでください。

🎧 0976 남다 [남따]　**動** 余る、残る

※ 남습니다, 남아요, 남으면

例 숙제가 조금 남았어요.
宿題が少し残っています。

| 0977 **낫다** [낟따] | 動 （病気が）治る |
| | 類 치료되다 |

※ 낫습니다, 나아요, 나으면

例 감기는 다 나았어요.
風邪はもう治りました。

| 0978 **내다**01 | 動 出す、提出する |
| | 類 제출하다 |

※ 냅니다, 내요, 내면

例 숙제는 내일까지 내세요.
宿題は明日までに出してください。

| 0979 **내다**02 | 動 出す、支払う |
| | 類 지불하다 |

※ 냅니다, 내요, 내면

例 전기 요금을 냈어요.
電気代を払いました。

| 0980 **내려가다** | 動 下がる | 反 올라가다 |

※ 내려갑니다, 내려가요, 내려가면

例 아침 기온이 많이 내려갔어요.
朝の気温がかなり下がりました。

| 0981 **내리다**01 | 動 降る |
| | 類 오다 |

※ 내립니다, 내려요, 내리면

例 어제부터 비가 내리고 있어요.
昨日から雨が降っています。

| 0982 **내리다**02 | 動 降りる | 反 타다 |

※ 내립니다, 내려요, 내리면

例 역에서 내리면 연락 주세요.
駅に降りたら、連絡ください。

ㄴ

0983 넘다
[넘따]

動 超える

※ 넘습니다, 넘어요, 넘으면

例 신청자가 백 명이 넘습니다.
申請者が百人を超えています。

0984 넘어지다

動 転ぶ

反 일어서다

類 쓰러지다

※ 넘어집니다, 넘어져요, 넘어지면

例 계단에서 넘어져서 다쳤어요.
階段で転んで怪我をしました。

0985 넣다
[너타]

動 入れる

反 빼다, 꺼내다

※ 넣습니다, 넣어요, 넣으면

例 휴대폰을 가방에 넣으세요.
携帯電話をバッグに入れてください。

0986 놀다

動 遊ぶ

※ 놉니다, 놀아요, 놀면

例 시험이 끝나면 친구와 놀 거예요.
試験が終わったら友達と遊ぶつもりです。

0987 놀라다

動 驚く

※ 놀랍니다, 놀라요, 놀라면

例 놀라지 마세요.
驚かないでください。

0988 놓다
[노타]

動 置く

類 두다

※ 놓습니다, 놓아요, 놓으면

例 가방은 책상 아래에 놓으세요.
カバンは机の下に置いてください。

| 0989 | **누르다** | 動 | 押す |

※ 누릅니다, 눌러요, 누르면

例　도착하면 현관 벨을 누르세요.
到着したら玄関のベルを押してください。

| 0990 | **눕다**
[눕따] | 動 | 横になる | 反 | 서다, 일어나다 |

※ 눕습니다, 누워요, 누우면

例　소파에 누워서 텔레비전을 봐요.
ソファに横になってテレビを見ます。

| 0991 | **느끼다** | 動 | 感じる |

※ 느낍니다, 느껴요, 느끼면

例　저는 제 일에 보람을 느낍니다.
私は自分の仕事にやりがいを感じます。

| 0992 | **늘다** | 動 | 増える | 反 | 줄다 |

※ 늡니다, 늘어요, 늘면

例　겨울에는 몸무게가 늘어요.
冬には体重が増えます。

| 0993 | **늙다**
[늑따] | 動 | 年を取る、老ける |

※ 늙습니다, 늙어요, 늙으면

例　사람은 모두 늙어요.
人は皆年を取ります。

| 0994 | **늦다**
[늗따] | 動/形 | 遅れる |

※ 늦습니다, 늦어요, 늦으면

例　내일은 늦지 마세요.
明日は遅れないでください。

0995 다녀오다 　動 行ってくる

※ 다녀옵니다, 다녀와요, 다녀오면

例 학교 다녀오겠습니다.
学校に行ってきます。

0996 다니다 　動 通う

※ 다닙니다, 다녀요, 다니면

例 사립 고등학교에 다녔어요.
私立高校に通っていました。

0997 다치다 　動 怪我する　　反 낫다

※ 다칩니다, 다쳐요, 다치면

例 넘어져서 다리를 다쳤어요.
転んで足を怪我しました。

0998 닦다 [닥따]　動 拭く
　類 훔치다

※ 닦습니다, 닦아요, 닦으면

例 걸레로 바닥을 닦았어요.
雑巾で床を拭きました。

0999 닫다 [닫따]　動 閉める　　反 열다

※ 닫습니다, 닫아요, 닫으면

例 창문 좀 닫아 주세요.
窓を閉めてください。

1000 달리다 　動 走る

※ 달립니다, 달려요, 달리면

例 이 차선은 버스만 달릴 수 있어요.
この車線はバスのみ走れます。

🎧 1001	**닮다** [담따]	動 似る

※ 닮습니다, 닮아요, 닮으면

例 성격은 아버지를 닮았어요.
性格は父に似ています。

🎧 1002	**던지다**	動 投げる　　反 받다

※ 던집니다, 던져요, 던지면

例 투수가 공을 던졌습니다.
投手がボールを投げました。

🎧 1003	**데려가다**	動 連れていく　　反 데려오다

※ 데려갑니다, 데려가요, 데려가면

例 다음에는 저도 데려가 주세요.
今度は私も連れて行ってください。

🎧 1004	**데려오다**	動 連れてくる　　反 데려가다

※ 데려옵니다, 데려와요, 데려오면

例 친구도 데려오세요.
友達も連れてきてください。

🎧 1005	**도와주다**	動 手伝う、助ける　　類 돕다

※ 도와줍니다, 도와줘요, 도와주면

例 제 친구는 늘 저를 도와줘요.
私の友達はいつも私を助けてくれます。

🎧 1006	**돌다**	動 回る、曲がる

※ 돕니다, 돌아요, 돌면

例 오른쪽으로 도세요.
右に曲がってください。

🎧 1007 **돌려주다**	動 返す	反 돌려받다

※ 돌려줍니다, 돌려줘요, 돌려주면

例 친구에게 빌린 책을 돌려주었어요.
友達に借りた本を返しました。

🎧 1008 **돌리다**	動 回す	

※ 돌립니다, 돌려요, 돌리면

例 열쇠를 오른쪽으로 돌리세요.
鍵を右に回してください。

🎧 1009 **돌아가다**	動 帰る、帰っていく	反 돌아오다

※ 돌아갑니다, 돌아가요, 돌아가면

例 친구는 졸업 후에 고향으로 돌아갔어요.
友達は卒業後に故郷に帰りました。

🎧 1010 **돌아오다**	動 帰る、帰ってくる	反 돌아가다

※ 돌아옵니다, 돌아와요, 돌아오면

例 아들이 고향에 돌아왔어요.
息子が故郷に帰ってきました。

🎧 1011 **돕다** [돕따]	動 助ける、手伝う 類 도와주다	

※ 돕습니다, 도와요, 도우면

例 주말에는 아버지 일을 도와요.
週末は父の仕事を手伝います。

🎧 1012 **되다**	動 なる	

※ 됩니다, 돼요, 되면

例 이제 저도 어른이 되었어요.
もう私も大人になりました。

ㄷ

1013 두다

動 置く
類 놓다

※ 둡니다, 둬요, 두면

例 가방은 책상 아래에 두세요.
カバンは机の下に置いてください。

1014 드리다

動 差し上げる
反 받다

※ 드립니다, 드려요, 드리면

例 첫 월급으로 부모님께 선물을 드렸어요.
初任給で両親にプレゼントを差し上げました。

1015 듣다
[듣따]

動 聞く

※ 듣습니다, 들어요, 들으면

例 저는 주로 한국 음악을 들어요.
私は主に韓国の音楽を聴きます。

1016 들다₀₁

動 (費用などが) かかる
類 들어가다

※ 듭니다, 들어요, 들면

例 여행은 돈이 많이 들어요.
旅行はお金がたくさんかかります。

1017 들다₀₂

動 (気に) 入る

※ 듭니다, 들어요, 들면

例 저는 이 색깔이 마음에 들어요.
私はこの色が気に入っています。

1018 들다₀₃

動 持つ

※ 듭니다, 들어요, 들면

例 저는 이 가방을 자주 들어요.
私はこのカバンをよく使います。

1019 들르다 　動 寄る、立ち寄る

※ 들릅니다, 들러요, 들르면

例　집에 가기 전에 편의점에 들렀어요.
家に帰る前にコンビニに立ち寄りました。

1020 들리다 　動 聞こえる

※ 들립니다, 들려요, 들리면

例　밖에서 음악 소리가 들려요.
外から音楽の音が聞こえます。

1021 들어가다 　動 入る、入っていく　反 나오다

※ 들어갑니다, 들어가요, 들어가면

例　밖은 추우니까 카페에 들어가서 기다리세요.
外は寒いので、カフェに入って待っていてください。

1022 들어오다 　動 入る、入ってくる　反 나가다

※ 들어옵니다, 들어와요, 들어오면

例　언니가 제 방에 들어왔어요.
お姉さんが私の部屋に入ってきました。

1023 떠나다 　動 離れる、立つ、去る　反 돌아오다

※ 떠납니다, 떠나요, 떠나면

例　고등학교 졸업 후에 고향을 떠났어요.
高校卒業後に故郷を離れました。

1024 떠들다 　動 騒ぐ

※ 떠듭니다, 떠들어요, 떠들면

例　아이들이 큰소리로 떠들고 있어요.
子どもたちが大声で騒いでいます。

| 🎧 1025 | **떨어지다** | 動 | 落ちる |
| | | | ※ 떨어집니다, 떨어져요, 떨어지면 |

例 바람에 나뭇잎이 많이 떨어졌네요.
風で木の葉がたくさん落ちましたね。

🎧 1026	**뛰다**	動	走る、跳ぶ
		類	달리다
			※ 뜁니다, 뛰어요, 뛰면

例 복도에서 뛰지 마세요.
廊下で走らないでください。

| 🎧 1027 | **뜨다** | 動 | （目を）開ける | 反 | 감다 |
| | | | | ※ 뜹니다, 떠요, 뜨면 |

例 눈을 뜨니까 열 시였어요.
目を開けたら、10時でした。

| 🎧 1028 | **마르다01** | 動 | 乾く、渇く |
| | | | ※ 마릅니다, 말라요, 마르면 |

例 너무 더워서 목이 말라요.
暑すぎて喉が渇きます。

| 🎧 1029 | **마르다02** | 動 | 痩せる | 反 | 살찌다 |
| | | | ※ 말랐습니다, 말랐어요, 말랐으면 |

例 왜 이렇게 말랐어요?
なんでこんなに痩せたんですか。

| 🎧 1030 | **마시다** | 動 | 飲む |
| | | | ※ 마십니다, 마셔요, 마시면 |

例 아침마다 커피를 마셔요.
毎朝コーヒーを飲みます。

🎧 1031	**마치다**	動	終える、終わる
		類	끝내다, 끝나다
			※ 마칩니다, 마쳐요, 마치면

例 오늘 수업 마치면 뭐 해요?
今日の授業が終わったら何をしますか。

🎧 1032	**막히다** [마키다]	動	詰まる、混む	反	뚫리다
		類	밀리다
			※ 막힙니다, 막혀요, 막히면

例 길이 막혀서 늦을 것 같아요.
道が混んでいて遅れそうです。

| 🎧 1033 | **만나다** | 動 | 会う |
| | | | ※ 만납니다, 만나요, 만나면 |

例 어제 친구를 만나서 이야기를 많이 했어요.
昨日友達に会って話をたくさんしました。

1034 만들다 　動 作る

※ 만듭니다, 만들어요, 만들면

例 저는 카레를 자주 만들어요.
私はカレーをよく作ります。

1035 만지다 　動 触る

※ 만집니다, 만져요, 만지면

例 그림을 손으로 만지지 마세요.
絵を手で触らないでください。

1036 맞다 [맏따] 　動 合う　　　反 틀리다

※ 맞습니다, 맞아요, 맞으면

例 사이즈가 잘 맞아요.
サイズがよく合います。

1037 맞추다 　動 合わせる

※ 맞춥니다, 맞춰요, 맞추면

例 제가 시간을 맞출게요.
私が時間を合わせます。

1038 매다 　動 (紐を)結ぶ, 締める　反 풀다
類 묶다

※ 맵니다, 매요, 매면

例 신발 끈을 다시 매야 돼요.
靴紐を結び直さなければなりません。

1039 먹다 [먹따] 　動 食べる

※ 먹습니다, 먹어요, 먹으면

例 점심에는 도시락을 먹어요.
お昼にはお弁当を食べます。

1040 멈추다

動 止まる、止む

※ 멈춥니다, 멈춰요, 멈추면

例 배터리가 없어서 시계가 멈췄어요.
バッテリーがなくて時計が止まりました。

1041 메다

動 背負う

※ 멥니다, 메요, 메면

例 가방을 메고 학교에 갔어요.
カバンを背負って学校に行きました。

1042 모르다

動 知らない、分からない

※ 모릅니다, 몰라요, 모르면

例 이름은 알지만 얼굴은 몰라요.
名前は知っていますが、顔は知りません。

1043 모으다

動 集める、貯める

※ 모읍니다, 모아요, 모으면

例 여행을 가고 싶어서 돈을 모으고 있어요.
旅行に行きたくてお金を貯めています。

1044 모이다

動 集まる

※ 모입니다, 모여요, 모이면

例 월드컵 때는 사람들이 모여서 응원을 해요.
ワールドカップの時は人々が集まって応援をします。

1045 모자라다

動 足りない、不足だ
類 부족하다

※ 모자랍니다, 모자라요, 모자라면

例 요즘 잠이 모자라요.
最近寝不足です。

1046	**못하다** [모타다]	動/形 できない、得意ではない	反 잘하다

※ 못합니다, 못해요, 못하면

例 영어를 못해서 배우고 있어요.
英語ができなくて、習っています。

1047	**묻다** [묻따]	動 聞く、尋ねる	反 답하다
		類 물어보다, 질문하다	

※ 묻습니다, 물어요, 물으면

例 이유는 묻지 마세요.
理由は聞かないでください。

1048	**물어보다**	動 尋ねる、聞いてみる	
		類 묻다, 질문하다	

※ 물어봅니다. 물어봐요, 물어보면

例 선생님께 다시 물어보세요.
先生にもう一度聞いてみてください。

1049	**미끄러지다**	動 滑る	

※ 미끄러집니다. 미끄러져요, 미끄러지면

例 눈이 와서 계단에서 미끄러졌어요.
雪が降って階段で滑りました。

1050	**믿다** [믿따]	動 信じる	

※ 믿습니다, 믿어요, 믿으면

例 친구 말을 믿어요.
友達の言葉を信じます。

1051	**밀다**	動 押す	反 당기다

※ 밉니다, 밀어요, 밀면

例 세게 밀지 마세요.
強く押さないでください。

1052 바꾸다
動 変える、替える、交換する
類 교환하다, 변경하다 ※ 바꿉니다, 바꿔요, 바꾸면
例 죄송하지만 사이즈를 바꿔 주시겠어요?
すみませんが、サイズを替えてもらえますか。

1053 바뀌다
動 変わる
類 달라지다, 변경되다 ※ 바뀝니다, 바뀌어요, 바뀌면
例 전화번호가 바뀌었어요.
電話番号が変わりました。

1054 바라다
動 望む、祈る
類 원하다 ※ 바랍니다, 바라요, 바라면
例 건강하기를 바랍니다.
健康を祈ります。

1055 바라보다
動 眺める、見る
※ 바라봅니다, 바라봐요, 바라보면
例 피곤할 때는 하늘을 바라봐요.
疲れた時は空を眺めます。

1056 바르다
動 塗る
※ 바릅니다, 발라요, 바르면
例 빵에 버터를 발라요.
パンにバターを塗ります。

1057 받다 [받따]
動 もらう、受ける
反 주다
※ 받습니다, 받아요, 받으면
例 친구에게 편지를 받았어요.
友達から手紙をもらいました。

1058 받아쓰다　　動　書き取る

※ 받아씁니다, 받아써요, 받아쓰면

例　강의 내용을 노트에 받아씁니다.
講義内容をノートに書き取ります。

1059 배우다　　動　学ぶ、習う　　反　가르치다

※ 배웁니다, 배워요, 배우면

例　요즘 운전을 배우고 있어요.
最近運転を習っています。

1060 버리다　　動　捨てる

※ 버립니다, 버려요, 버리면

例　휴지를 쓰레기통에 버려요.
紙くずをごみ箱に捨てます。

1061 벌다　　動　稼ぐ

※ 법니다, 벌어요, 벌면

例　아르바이트로 학비를 벌어요.
アルバイトで学費を稼ぎます。

1062 벗다
[벋따]　　動　脱ぐ　　反　입다

※ 벗습니다, 벗어요, 벗으면

例　신발은 벗고 들어오세요.
靴は脱いで入ってください。

1063 변하다　　動　変わる
　　　　　類　달라지다, 바뀌다

※ 변합니다, 변해요, 변하면

例　이 쿠키는 오래돼서 맛이 변했어요.
このクッキーは古くなって味が変わりました。

🎧 1064	**보내다**	動 送る	反 받다	
		類 부치다	※ 보냅니다, 보내요, 보내면	

例 고향으로 편지를 보내요.
故郷へ手紙を送ります。

🎧 1065	**보다**	動 見る
		※ 봅니다, 봐요, 보면

例 저는 드라마를 자주 봐요.
私はドラマをよく見ます。

🎧 1066	**보이다₀₁**	動 見える
		※ 보입니다, 보여요, 보이면

例 창문 밖으로 하늘이 보여요.
窓の外に空が見えます。

ㅂ

🎧 1067	**보이다₀₂**	動 見せる
		※ 보입니다, 보여요, 보이면

例 사진을 보여 주세요.
写真を見せてください。

🎧 1068	**볶다** [복따]	動 炒める
		※ 볶습니다, 볶아요, 볶으면

例 김치와 밥을 볶으세요.
キムチとご飯を炒めてください。

🎧 1069	**뵙다** [뵙따]	動 お目にかかる
		※ 뵙습니다, 봬요, 뵈면

例 처음 뵙겠습니다.
初めまして。（初めてお目にかかります。）

1070 부르다01 | 動 呼ぶ

※ 부릅니다, 불러요, 부르면

例 지금부터 이름을 부르겠습니다.
これから名前をお呼びします。

1071 부르다02 | 動 歌う

※ 부릅니다, 불러요, 부르면

例 생일 축하 노래를 불렀어요.
誕生日のお祝いの歌を歌いました。

1072 부치다 | 動 （ものやお金を）送る
類 보내다

※ 부칩니다, 부쳐요, 부치면

例 딸에게 매달 생활비를 부치고 있어요.
娘に毎月の生活費を送っています。

1073 부탁하다
[부타카다] | 動 お願いする
類 요청하다

※ 부탁합니다, 부탁해요, 부탁하면

例 친구에게 책 반납을 부탁했어요.
友達に本の返却をお願いしました。

1074 불다 | 動 吹く

※ 붑니다, 불어요, 불면

例 시원한 바람이 불어요.
涼しい風が吹きます。

1075 붙다
[붇따] | 動 付く | 反 떨어지다

※ 붙습니다, 붙어요, 붙으면

例 어깨에 머리카락이 붙었어요.
肩に髪の毛がついています。

1076	**붙이다** [부치다]	動 付ける、貼る	反 떨어지다

※ 붙입니다, 붙여요, 붙이면

例 봉투에 우표를 붙이세요.
封筒に切手を貼ってください。

1077	**비교하다**	動 比較する	

※ 비교합니다, 비교해요, 비교하면

例 가격을 비교하고 사요.
値段を比較してから買います。

1078	**비다**	動 空く	反 차다

※ 빕니다, 비어요, 비면

ㅂ

例 카페에 빈 자리가 없어요.
カフェに空いている席がありません。

1079	**빌리다**	動 借りる	反 갚다

※ 빌립니다, 빌려요, 빌리면

例 도서관에서 책을 빌렸어요.
図書館で本を借りました。

1080	**빠지다**	動 落ちる、陥る	反 건지다

※ 빠집니다, 빠져요, 빠지면

例 바다에 사람이 빠졌어요.
海に人が落ちました。

1081	**빨다**	動 洗う、洗濯する
		類 세탁하다

※ 빱니다, 빨아요, 빨면

例 이 옷은 손으로 빨아야 해요.
この服は手で洗わなければなりません。

| 1082 | 빼다01 | 動 引く、取り出す | 反 더하다 |
| | | | ※ 뺍니다, 빼요, 빼면 |

例 10에서 5를 빼세요.
10から5を引いてください。

| 1083 | 빼다02 | 動 （体重を）減らす | 反 찌다 |
| | | 類 줄이다 | ※ 뺍니다, 빼요, 빼면 |

例 다이어트를 해서 살을 뺐어요.
ダイエットして体重を減らしました。

| 1084 | 뽑다01 [뽑따] | 動 抜く | |
| | | | ※ 뽑습니다, 뽑아요, 뽑으면 |

例 밭에서 무를 뽑았어요.
畑で大根を抜きました。

| 1085 | 뽑다02 [뽑따] | 動 （お金を）下す、引き出す | |
| | | 類 찾다, 인출하다 | ※ 뽑습니다, 뽑아요, 뽑으면 |

例 ATM에서 돈을 뽑았어요.
ATMでお金を下ろしました。

| 1086 | 뽑다03 [뽑따] | 動 選抜する | |
| | | 類 선출하다 | ※ 뽑습니다, 뽑아요, 뽑으면 |

例 선거로 국회의원을 뽑았어요.
選挙で国会議員を選抜しました。

1087 **사귀다**	動 付き合う

※ 사귑니다, 사귀어요, 사귀면

例 저는 동아리 선배와 사귀고 있어요.
私はサークルの先輩と付き合っています。

1088 **사다**	動 買う 反 팔다
	類 구입하다

※ 삽니다, 사요, 사면

例 어머니 선물로 꽃을 샀어요.
母へのプレゼントとして花を買いました。

1089 **살다**	動 居住する、住む
	類 거주하다

※ 삽니다, 살아요, 살면

例 저는 서울에 살아요.
私はソウルに住んでいます。

1090 **생각나다** [생강나다]	動 思い出す

※ 생각납니다, 생각나요, 생각나면

例 옛날 일이 생각났어요.
昔のことを思い出しました。

1091 **서다**01	動 立つ、並ぶ

※ 섭니다, 서요, 서면

例 줄을 서세요.
列に並んでください。

1092 **서다**02	動 止まる
	類 멈추다, 정차하다

※ 섭니다, 서요, 서면

例 갑자기 지하철이 섰어요.
突然地下鉄が止まりました。

ㅅ

1093	서두르다	動 急ぐ

※ 서두릅니다, 서둘러요, 서두르면

例 결혼 준비를 서두르게 됐어요.
結婚準備を急ぐことになりました。

1094	섞다 [석따]	動 混ぜる

※ 섞습니다, 섞어요, 섞으면

例 물과 밀가루를 잘 섞으세요.
水と小麦粉をよく混ぜてください。

1095	세우다	動 立てる

※ 세웁니다, 세워요, 세우면

例 한국 유학 계획을 세웠어요.
韓国留学の計画を立てました。

1096	쉬다01	動 休む

※ 쉽니다, 쉬어요, 쉬면

例 감기에 걸려서 학교를 쉬었어요.
風邪を引いて学校を休みました。

1097	쉬다02	動 呼吸する、(息を) する

※ 쉽니다, 쉬어요, 쉬면

例 긴장했을 때는 크게 숨을 쉬세요.
緊張した時には大きく息をしてください。

1098	시작하다 [시자카다]	動 始まる、始める 反 끝나다

※ 시작합니다, 시작해요, 시작하면

例 운동을 시작했어요.
運動を始めました。

| 1099 **시키다** | 動 注文する |
| | 類 주문하다 |

※ 시킵니다, 시켜요, 시키면

例 아이스 커피를 시켰어요.
冷たいコーヒーを注文しました。

| 1100 **식다** [식따] | 動 冷える、冷める |

※ 식습니다, 식어요, 식으면

例 기다리는 사이에 차가 식었어요.
待っている間にお茶が冷めました。

| 1101 **신다** [신따] | 動 履く | 反 벗다 |

※ 신습니다, 신어요, 신으면

例 새로운 신발을 신었습니다.
新しい靴を履きました。

| 1102 **싣다** [실따] | 動 載せる |

※ 싣습니다, 실어요, 실으면

例 차에 짐을 실었습니다.
車に荷物を載せました。

| 1103 **심다** [심따] | 動 植える |

※ 심습니다, 심어요, 심으면

例 정원에 꽃을 심었습니다.
庭に花を植えました。

| 1104 **싸다** | 動 包む、（弁当などを）作る |

※ 쌉니다, 싸요, 싸면

例 점심 도시락을 쌌어요.
お昼の弁当を作りました。

ㅅ

1105 싸우다

動 喧嘩する、戦う
類 다투다

※ 싸웁니다, 싸워요, 싸우면

例 친구와 싸우면 안 돼요.
友達と喧嘩してはいけません。

1106 쌓다 [싸타]

動 積む

※ 쌓습니다, 쌓아요, 쌓으면

例 인턴십에 참가해서 경험을 쌓고 싶어요.
インターンシップに参加し、経験を積みたいです。

1107 썰다

動 切る

※ 썹니다, 썰어요, 썰면

例 칼로 야채를 썰어요.
包丁で野菜を切ります。

1108 쓰다01

動 書く
類 적다
反 지우다

※ 씁니다, 써요, 쓰면

例 한국어로 편지를 써요.
韓国語で手紙を書きます。

1109 쓰다02

動 かぶる、(傘を)差す
反 벗다

※ 씁니다, 써요, 쓰면

例 머리를 안 감아서 모자를 썼어요.
髪を洗わなかったので帽子をかぶりました。

1110 쓰다03

動 使う
類 사용하다

※ 씁니다, 써요, 쓰면

例 펜이 없으면 제 펜을 쓰세요.
ペンが無ければ、私のペンを使ってください。

🎧 1111　**씹다**
[씹따]

動　噛む

※ 씹습니다, 씹어요, 씹으면

例　천천히 씹어서 드세요.
ゆっくり噛んで食べてください。

🎧 1112　**씻다**
[씯따]

動　洗う
類　닦다

※ 씻습니다, 씻어요, 씻으면

例　손을 깨끗하게 씻으세요.
手をきれいに洗ってください。

ㅅ

안다 [안따]

動 抱く
類 껴안다

※ 안습니다, 안아요, 안으면

例 아기를 안았어요.
赤ちゃんを抱きました。

안되다

動 (思うように)上手くできない
反 잘되다

※ 안됩니다, 안돼요, 안되면

例 생각처럼 공부가 안돼요.
思うように勉強が上手くできないです。

앉다 [안따]

動 座る
反 서다, 일어나다

※ 앉습니다, 앉아요, 앉으면

例 빈 자리에 앉으세요.
空いてる席に座ってください。

알다

動 知る、分かる
反 모르다

※ 압니다, 알아요, 알면

例 선생님 메일 주소를 알고 있어요.
先生のメールアドレスを知っています。

알리다

動 知らせる

※ 알립니다, 알려요, 알리면

例 필요한 게 있으면 사전에 알려 주세요.
必要なものがあれば事前にお知らせください。

알아보다

動 調べる
類 조사하다

※ 알아봅니다, 알아봐요, 알아보면

例 알아보고 연락하겠습니다.
調べてから連絡いたします。

1119	**어울리다**	動	似合う

※ 어울립니다, 어울려요, 어울리면

例 옷이 잘 어울려요.
服がよく似合います。

1120	**얻다** [얻따]	動	得る、もらう

※ 얻습니다, 얻어요, 얻으면

例 선배에게서 교과서를 공짜로 얻었어요.
先輩から教科書をただでもらいました。

1121	**얼다**	動	凍る	反	녹다

※ 업니다, 얼어요, 얼면

例 너무 추워서 강이 얼었어요.
寒すぎて川が凍りました。

1122	**여쭙다** [여쭙따]	動	お聞きする、お尋ねする
		類	여쭈다

※ 여쭙습니다, 여쭤워요, 여쭈우면

例 한 가지 여쭤워도 되겠습니까?
一つお聞きしてもよろしいでしょうか。

1123	**열다**	動	開ける、開く	反	닫다

※ 엽니다, 열어요, 열면

例 아침에 일어나면 창문을 열어요.
朝起きると窓を開けます。

1124	**열리다**	動	開く、開かれる	反	닫히다

※ 열립니다, 열려요, 열리면

例 문이 열립니다.
ドアが開きます。

1125	**오다**	動	来る	反	가다

※ 옵니다, 와요, 오면

例 꼭 서울에 놀러 오세요.
ぜひソウルに遊びに来てください。

1126	**오르다**	動	登る、上がる	反	내리다

※ 오릅니다, 올라요, 오르면

例 주말에 산에 올랐어요.
週末に山に登りました。

1127	**올라가다**	動	登る、登っていく、上がっていく	反	내려가다

※ 올라갑니다, 올라가요, 올라가면

例 어릴 때 나무 위로 올라가서 놀았어요.
幼い時、木の上に登って遊びました。

1128	**올라오다**	動	登る、登ってくる、上がってくる	反	내려오다

※ 올라옵니다, 올라와요, 올라오면

例 부모님이 이 층 방에 올라왔어요.
親が2階の部屋が上ってきました。

1129	**올리다**	動	挙げる、上げる	反	내리다

※ 올립니다, 올려요, 올리면

例 성적을 올리고 싶어요.
成績を上げたいです。

1130	**외우다**	動	覚える	
		類	암기하다	

※ 외웁니다, 외워요, 외우면

例 매일 단어를 외우고 있어요.
毎日単語を覚えています。

1131 울다   動 泣く   反 웃다

※ 웁니다, 울어요, 울면

例 길을 잃은 아이가 울고 있어요.
迷子になった子どもが泣いています。

1132 움직이다   動 動く

※ 움직입니다, 움직여요, 움직이면

例 주사를 맞을 때는 움직이지 마세요.
注射を打つ時は動かないでください。

1133 웃다   動 笑う   反 울다
[욷따]

※ 웃습니다, 웃어요, 웃으면

例 웃는 얼굴이 너무 예뻐요.
笑った顔がとても可愛いです。

1134 원하다   動 願う、望む、求める、希望する

類 바라다, 소원하다   ※ 원합니다, 원해요, 원하면

例 원하던 대학에 합격했습니다.
希望していた大学に合格しました。

1135 유행하다   動 流行る、流行する

※ 유행합니다, 유행해요, 유행하면

例 요즘 감기가 유행하고 있어요.
最近風邪が流行っています。

1136 이기다   動 勝つ   反 지다

※ 이깁니다, 이겨요, 이기면

例 축구 시합에서 이겼어요.
サッカーの試合で勝ちました。

1137 이사하다

動 引っ越す

※ 이사합니다, 이사해요, 이사하면

例 다음 주에 이사해요.
来週引っ越します。

1138 익다 [익따]

動 熟する、実る、煮える、漬かる

※ 익습니다, 익어요, 익으면

例 불이 약해서 고기가 잘 안 익어요.
火が弱くてお肉がよく煮えません。

1139 일어나다 01

動 起きる、(目が) 覚める   反 자다
類 깨다

※ 일어납니다, 일어나요, 일어나면

例 내일은 일찍 일어나야 해요.
明日は早く起きなければいけません。

1140 일어나다 02

動 起き上がる、起立する、立つ   反 앉다
類 서다, 일어서다

※ 일어납니다, 일어나요, 일어나면

例 자리에서 일어나 주십시오.
席から立ってください。

1141 일어서다

動 立ち上がる   反 앉다
類 서다, 일어나다

※ 일어섭니다, 일어서요, 일어서면

例 일어서서 걸어 보세요.
立ち上がって歩いてみてください。

1142 읽다 [익따]

動 読む

※ 읽습니다, 읽어요, 읽으면

例 큰 소리로 책을 읽어요.
大きい声で本を読みます。

1143 잃어버리다

動 失う、なくす

類 잃다

※ 잃어버립니다, 잃어버려요, 잃어버리면

例 어제 지갑을 잃어버렸어요.
昨日財布をなくしました。

1144 입다 [입따]

動 着る

反 벗다

※ 입습니다, 입어요, 입으면

例 오늘은 추워서 코트를 입었어요.
今日は寒いのでコートを着ました。

1145 잊다 [읻따]

動 忘れる

類 잊어버리다

※ 잊습니다, 잊어요, 잊으면

例 약속 시간을 깜빡 잊었어요.
約束の時間をうっかり忘れました。

1146 자다　動 寝る　反 일어나다, 깨다

※ 잡니다, 자요, 자면

例 아기가 자고 있으니까 조용히 해 주세요.
赤ちゃんが寝ているので静かにしてください。

1147 자라다　動 育つ、伸びる

※ 자랍니다, 자라요, 자라면

例 아이들은 쑥쑥 자라요.
子どもたちはすくすく育ちます。

1148 자랑하다　動 自慢する、誇る

※ 자랑합니다, 자랑해요, 자랑하면

例 요리 솜씨를 자랑했어요.
料理の腕前を自慢しました。

1149 자르다　動 切る

※ 자릅니다, 잘라요, 자르면

例 지난주에 머리를 잘랐어요.
先週髪を切りました。

1150 잘되다　動 上手くいく、よくできる　反 안되다

※ 잘됩니다, 잘돼요, 잘되면

例 요즘 장사가 잘돼요.
最近商売がうまくいっています。

1151 잘하다　動 上手だ、上手にする　反 못하다

※ 잘합니다, 잘해요, 잘하면

例 누나는 영어를 잘해요.
姉は英語が上手です。

| | | 動 | 握る | 反 | 놓다 |

잡다 01 [잡따]

※ 잡습니다, 잡아요, 잡으면

例 제 손을 꽉 잡아 주세요.
私の手をぎゅっと握ってください。

| | | 動 | 捕まえる | 反 | 놓치다 |

잡다 02 [잡따]

※ 잡습니다, 잡아요, 잡으면

例 경찰이 범인을 잡았어요.
警察が犯人を捕まえました。

잡수시다 [잡쑤시다]

動 召し上がる
類 드시다

※ 잡수십니다, 잡수세요, 잡수시면

例 많이 잡수세요.
たくさん召し上がってください。

적다 [적따]

動 書く、書き留める、記す
類 쓰다

※ 적습니다, 적어요, 적으면

例 여기에 답을 적으세요.
ここに答えを書いてください。

ㅈ

전하다

動 伝える、渡す
類 전달하다

※ 전합니다, 전해요, 전하면

例 부모님께 안부 전해 주세요.
ご両親に宜しくお伝えください。

| | | 動 | 折る、畳む | 反 | 펴다 |

접다 [접따]

※ 접습니다, 접어요, 접으면

例 우산을 접어서 가방에 넣었어요.
傘を畳んでカバンに入れました。

1158 정하다

動 決める、定める

類 고르다, 결정하다 ※ 정합니다, 정해요, 정하면

例 전화로 약속 장소와 시간을 정했어요.
電話で約束場所と時間を決めました。

1159 젖다 [젇따]

動 濡れる

反 마르다

※ 젖습니다, 젖어요, 젖으면

例 비를 맞아서 옷이 젖었어요.
雨に降られて服が濡れました。

1160 조심하다

動 用心する、注意する、気を付ける

※ 조심합니다, 조심해요, 조심하면

例 눈이 올 때는 운전을 조심하세요.
雪が降る時は運転に気をつけてください。

1161 졸다

動 居眠りする

※ 좁니다, 졸아요, 졸면

例 수업 시간에 졸면 안 돼요.
授業時間に居眠りをしてはいけません。

1162 좋아하다

動 好きだ、好む

反 싫어하다

※ 좋아합니다, 좋아해요, 좋아하면

例 주말에 좋아하는 배우가 나오는 영화를 봤어요.
週末に好きな俳優が出てくる映画を見ました。

1163 주다

動 やる、あげる、くれる、与える

反 받다

※ 줍니다, 줘요, 주면

例 친구가 생일 선물을 줬어요.
友達が誕生日プレゼントをくれました。

1164	**주무시다**	動	お休みになる、眠られる

※ 주무십니다, 주무세요, 주무시면

例 어젯밤에는 안녕히 주무셨어요?
昨夜はよくお休みになりましたか。

1165	**죽다** [죽따]	動	死ぬ	反	살다

※ 죽습니다, 죽어요, 죽으면

例 암으로 죽는 사람들이 증가하고 있습니다.
癌で死ぬ人が増加しています。

1166	**줄다**	動	減る、縮まる	反	늘다

※ 줍니다, 줄어요, 줄면

例 요즘은 공중전화가 많이 줄었어요.
最近は公衆電話がすごく減りました。

1167	**줄이다**	動	減らす、落とす	反	늘리다

※ 줄입니다, 줄여요, 줄이면

例 가방이 작아서 짐을 줄였어요.
カバンが小さいので荷物を減らしました。

1168	**줍다** [줍따]	動	拾う	反	버리다

※ 줍습니다, 주워요, 주우면

例 지갑을 주워서 경찰서에 신고했어요.
財布を拾って警察署に届けました。

1169	**즐기다**	動	楽しむ

※ 즐깁니다, 즐겨요, 즐기면

例 쇼핑센터에서 쇼핑을 즐기는 사람들이 많아요.
ショッピングセンターでショッピングを楽しむ人が多いです。

ㅈ

| 1170 **지나다** | 動 通る、過ぎる |
| | 類 지나가다 |

※ 지납니다, 지나요, 지나면

例 지금 대전역을 지나고 있어요.
今大田駅を過ぎています。

| 1171 **지내다** | 動 過ごす、暮らす |

※ 지냅니다, 지내요, 지내면

例 앞으로도 사이 좋게 지냅시다.
これからも仲良く過ごしましょう。

| 1172 **지다** | 動 負ける | 反 이기다 |

※ 집니다, 져요, 지면

例 어제 시합에서는 아쉽게도 우리 팀이 졌어요.
昨日の試合では残念ながら私たちのチームが負けました。

| 1173 **지르다** | 動 叫ぶ |

※ 지릅니다, 질러요, 지르면

例 갑자기 소리를 질러서 놀랐어요.
急に叫んだのでびっくりしました。

| 1174 **지우다** | 動 消す |

※ 지웁니다, 지워요, 지우면

例 지우고 다시 쓰세요.
消して書き直してください。

| 1175 **지키다** | 動 守る | 反 어기다 |

※ 지킵니다, 지켜요, 지키면

例 그 사람은 약속을 잘 지켜요.
その人は約束をちゃんと守ります。

1176 짓다01 [짇따]
動 作る

※ 짓습니다, 지어요, 지으면

例 처방전으로 약을 지었어요.
処方箋で薬を作りました。

1177 짓다02 [짇따]
動 建てる

※ 짓습니다, 지어요, 지으면

例 새로운 건물을 짓고 있어요.
新しい建物を建てています。

1178 짓다03 [짇따]
動 炊く

※ 짓습니다, 지어요, 지으면

例 밥을 지었습니다.
ご飯を炊きました。

1179 짜증나다
動 いらだつ、むかつく、いらいらする

※ 짜증납니다, 짜증나요, 짜증나면

例 요즘은 날씨가 더워서 짜증나요.
最近は(天気が)暑くていらいらします。

ㅈ

1180 찌다01
動 太る　　反 빠지다

※ 찝니다, 쪄요, 찌면

例 요즘 살이 쪄서 다이어트를 시작했어요.
最近太ったのでダイエットを始めました。

1181 찌다02
動 蒸す

※ 찝니다, 쪄요, 찌면

例 만두를 쪄서 먹어요.
餃子を蒸して食べます。

🎧 1182

찍다₀₁ [찍따]

動 押す

※ 찍습니다, 찍어요, 찍으면

例 여기에 도장을 찍으세요.
ここに判子を押してください。

🎧 1183

찍다₀₂ [찍따]

動 つける

※ 찍습니다, 찍어요, 찍으면

例 소스에 찍어서 드시면 더 맛있어요.
ソースにつけて召し上がるともっと美味しいです。

🎧 1184

찍다₀₃ [찍따]

動 撮る

※ 찍습니다, 찍어요, 찍으면

例 카메라로 사진을 찍는 것이 취미입니다.
カメラで写真を撮るのが趣味です。

1185 **차다**01	動 蹴る
	類 걷어차다
	※ 찹니다, 차요, 차면
例	내가 찬 공이 골에 들어갔어요.
	私が蹴ったボールがゴールに入りました。

1186 **차다**02	動 はめる、つける	反 벗다, 풀다
	類 착용하다
	※ 찹니다, 차요, 차면
例	멋진 시계를 차고 계시네요.
	素敵な時計をつけていらっしゃいますね。

1187 **참다** [참따]	動 耐える、我慢する
	類 견디다
	※ 참습니다, 참아요, 참으면
例	슬펐지만 눈물을 참았어요.
	悲しかったけど涙を我慢しました。

1188 **찾다**01 [찯따]	動 探す、調べる	反 감추다, 숨기다
	※ 찾습니다, 찾아요, 찾으면
例	혼자 살 집을 찾고 있어요.
	一人で住む家を探しています。

1189 **찾다**02 [찯따]	動 （お金を）下ろす	反 맡기다
	類 뽑다
	※ 찾습니다, 찾아요, 찾으면
例	은행에서 돈을 찾았어요.
	銀行でお金を下ろしました。

大

1190 **찾아가다**	動 訪れていく、伺う
	類 방문하다
	※ 찾아갑니다, 찾아가요, 찾아가면
例	몇 시쯤 찾아가면 될까요?
	何時頃訪ねればいいですか。

1191 찾아오다

動 訪れてくる、伺う
類 방문하다
※ 찾아옵니다, 찾아와요, 찾아오면

例 오늘 아침에 누군가 선생님을 찾아왔습니다.
今朝誰かが先生を訪ねてきました。

1192 쳐다보다

動 見る、見つめる
類 바라보다
※ 쳐다봅니다, 쳐다봐요, 쳐다보면

例 왜 저를 쳐다봤어요?
なぜ私を見たんですか。

1193 춤추다

動 踊る
※ 춤춥니다, 춤춰요, 춤추면

例 무대에서 춤추고 노래하는 것이 너무 행복해요.
舞台で踊って歌うのはとても幸せです。

1194 취소하다

動 取り消す、キャンセルする
※ 취소합니다, 취소해요, 취소하면

例 예약을 취소하고 싶어요.
予約をキャンセルしたいです。

1195 치다01

動 （鍵盤楽器などを）弾く、演奏する
類 연주하다
※ 칩니다, 쳐요, 치면

例 기타를 치면서 노래를 불렀어요.
ギターを弾きながら歌を歌いました。

1196 치다02

動 打つ、（テニス、ゴルフなどを）する
※ 칩니다, 쳐요, 치면

例 주말마다 친구와 테니스를 쳐요.
毎週末、友達とテニスをします。

1197 칭찬하다

動 賞賛する、褒める

※ 칭찬합니다, 칭찬해요, 칭찬하면

例 칭찬해 주셔서 감사합니다.
褒めていただき、ありがとうございます。

大

1198	**켜다01**	動 つける	反 끄다

※ 켭니다, 켜요, 켜면

例 방이 어두우니까 불을 켜 주세요.
部屋が暗いので電気をつけてください。

1199	**켜다02**	動 （弦楽器を）弾く
		類 연주하다

※ 켭니다, 켜요, 켜면

例 바이올린은 어렸을 때부터 켜기 시작했어요.
バイオリンは幼い頃から弾き始めました。

1200	**키우다**	動 育てる、飼う
		類 기르다

※ 키웁니다, 키워요, 키우면

例 저는 강아지를 키우고 있어요.
私は犬を飼っています。

1201 **타다**₀₁	動 燃える
	※ 탑니다, 타요, 타면

例 타는 쓰레기와 안 타는 쓰레기를 구분해서 버리세요.
燃えるゴミと燃えないゴミを分別して捨ててください。

1202 **타다**₀₂	動 乗る　　反 내리다
	※ 탑니다, 타요, 타면

例 관광 버스를 타고 도심을 구경했어요.
観光バスに乗って都心を見物しました。

1203 **타다**₀₃	動 （スキー、スケートなどを）する
	※ 탑니다, 타요, 타면

例 겨울에는 스키를 타요.
冬にはスキーをします。

1204 **태어나다**	動 生まれる　　反 죽다, 사망하다
	類 나다, 출생하다　※ 태어납니다, 태어나요, 태어나면

例 저는 서울에서 태어나고 자랐습니다.
私はソウルで生まれ育ちました。

1205 **통화하다**	動 通話する、電話する
	類 전화하다　※ 통화합니다, 통화해요, 통화하면

例 어제는 밤늦게까지 친구와 통화했어요.
昨日は夜遅くまで友達と電話しました。

ㅋ/ㅌ

1206 **튀기다**	動 揚げる
	※ 튀깁니다, 튀겨요, 튀기면

例 감자를 기름에 튀겨서 먹었어요.
じゃがいもを油で揚げて食べました。

		動	つける	反	끄다
1207	**틀다**	類	켜다		

※ 틉니다, 틀어요, 틀면

例 **야구 시합을 보려고 텔레비전을 틀었어요.**

野球の試合を見ようとテレビをつけました。

1208	**팔다**	動 売る	反 사다

※ 팝니다, 팔아요, 팔면

例 요즘은 편의점에서 약도 팔아요.
最近はコンビニで薬も売っています。

1209	**팔리다**	動 売れる	

※ 팔립니다, 팔려요, 팔리면

例 이 상품이 잘 팔리고 있어요.
この商品がよく売れています。

1210	**펴다**	動 広げる、伸ばす	反 접다

※ 폅니다, 펴요, 펴면

例 허리를 펴고 스트레칭을 하세요.
腰を伸ばしてストレッチをしてください。

1211	**풀다01**	動 外す	反 묶다, 매다

※ 풉니다, 풀어요, 풀면

例 잠시 넥타이를 풀고 쉬었어요.
しばらくネクタイを外して休みました。

1212	**풀다02**	動 ほどこす、(荷物などを) 片づける	反 싸다

※ 풉니다, 풀어요, 풀면

例 짐을 풀고 식사를 하러 갑시다.
荷物を片付けて食事をしに行きましょう。

1213	**풀다03**	動 解く	

※ 풉니다, 풀어요, 풀면

例 이 문제를 풀어 보세요.
この問題を解いてみてください。

ㅍ

1214 **풀다**04	動 和らげる、解消する	反 쌓이다
	類 해소하다	※ 풉니다, 풀어요, 풀면

例 저는 먹는 것으로 스트레스를 풀어요.
私は食べることでストレスを解消します。

1215 **피다**	動 咲く	反 지다
		※ 핍니다, 펴요, 피면

例 공원에 벗꽃이 많이 피어 있었어요.
公園に桜がたくさん咲いていました。

1216 **피우다**	動 (タバコなどを) 吸う	反 끊다
		※ 피웁니다, 피워요, 피우면

例 여기에서는 담배를 피우면 안 됩니다.
ここではタバコを吸ってはいけません。

1217 한턱내다
[한텅내다]

動 おごる

類 사다

※ 한턱냅니다, 한턱내요, 한턱내면

例 오늘은 내가 한턱낼 테니까 많이 드세요.
今日は私がおごるので、たくさんお召し上がりください。

1218 헤어지다

動 別れる

※ 헤어집니다, 헤어져요, 헤어지면

例 남자 친구와 작년에 헤어졌어요.
彼氏と去年別れました。

1219 화나다

動 腹が立つ、怒る

※ 화납니다, 화나요, 화나면

例 여자 친구가 화난 이유를 모르겠어요.
彼女が怒る理由が分かりません。

1220 화내다

動 腹を立てる、怒る

※ 화냅니다, 화내요, 화내면

例 화내지 말고 천천히 얘기해 보세요.
怒らずにゆっくり話してみてください。

1221 환영하다

動 歓迎する

※ 환영합니다, 환영해요, 환영하면

例 언제라도 환영합니다. 또 놀러 오세요.
いつでも歓迎します。また遊びに来てください。

1222 흐르다

動 （時間などが）経つ

※ 흐릅니다, 흘러요, 흐르면

例 시간이 흐르면 익숙해질 거예요.
時間が経てば慣れるでしょう。

ㅎ

1223	**흔들다**	動 振る、揺らす

※ 흔듭니다, 흔들어요, 흔들면

例 친구가 저를 보고 손을 흔들었어요.
友達が私を見て手を振りました。

1224	**흘리다**	動 流す、こぼす

※ 흘립니다, 흘려요, 흘리면

例 사람들은 그 뉴스를 보고 눈물을 흘렸어요.
人々はそのニュースを見て涙を流しました。

形容詞の音声は、QR コードを
スキャンするとダウンロードいただけます。

3

形容詞

1225 가깝다
[가갑따]

形 近い　　　反 멀다

※ 가깝습니다, 가까워요, 가까우면

例 집이 학교에서 가까워요.
家が学校から近いです。

1226 가늘다

形 細い　　　反 굵다

※ 가늡니다, 가늘어요, 가늘면

例 손가락이 가늘어요.
指が細いです。

1227 가볍다
[가볍따]

形 軽い　　　反 무겁다

※ 가볍습니다, 가벼워요, 가벼우면

例 컴퓨터가 가벼워요.
パソコンが軽いです。

1228 간단하다

形 簡単だ

※ 간단합니다, 간단해요, 간단하면

例 요리법은 간단해요.
作り方は簡単です。

1229 강하다

形 強い　　　反 약하다
類 세다

※ 강합니다, 강해요, 강하면

例 바람이 강해요.
風が強いです。

1230 같다
[갇따]

形 同じだ　　　反 다르다

※ 같습니다, 같아요, 같으면

例 친구와 저는 이름이 같아요.
友達と私は名前が同じです。

ㄱ

1231 게으르다
形 怠けている、怠慢だ ｜ 反 ｜ 부지런하다

※ 게으릅니다, 게을러요, 게으르면

例 그 사람은 게으르지 않아요.
あの人は怠けていません。

1232 고맙다
[고맙따]
形 ありがたい
類 감사하다 ※ 고맙습니다, 고마워요, 고마우면

例 도와주셔서 고맙습니다.
助けてくれてありがとうございます。

1233 고프다
形 （お腹が）空く
類 （배가）부르다 ※ 고픕니다, 고파요, 고프면

例 아침을 안 먹어서 배가 고파요.
朝を食べてないので、お腹が空いています。

1234 괜찮다
[괜찬타]
形 大丈夫だ

※ 괜찮습니다, 괜찮아요, 괜찮으면

例 약을 먹어서 이제 괜찮아요.
薬を飲んだのでもう大丈夫です。

1235 궁금하다
形 知りたい、気になる

※ 궁금합니다, 궁금해요, 궁금하면

例 드라마의 결말이 궁금해요.
ドラマの結末が知りたいです。

1236 귀엽다
[귀엽따]
形 可愛い

※ 귀엽습니다, 귀여워요, 귀여우면

例 아이가 정말 귀여워요.
子どもが本当に可愛いです。

1237 귀찮다
[귀찬타]

形 面倒くさい

※ 귀찮습니다, 귀찮아요, 귀찮으면

例 방 청소가 귀찮아요.
部屋の掃除が面倒くさいです。

1238 그렇다
[그러타]

形 そうだ

※ 그렇습니다, 그래요, 그러면

例 제 생각도 그렇습니다.
私の考えもそうです。

1239 그립다
[그립따]

形 懐かしい、恋しい

※ 그립습니다, 그리워요, 그리우면

例 고등학교 때가 그립습니다.
高校時代が懐かしいです。

1240 급하다
[그파다]

形 急いでいる、急だ

※ 급합니다, 급해요, 급하면

例 급한 일이 있어서 먼저 갈게요.
急な用事があるのでお先に失礼いたします。

1241 기쁘다

形 嬉しい

反 슬프다

※ 기쁩니다, 기뻐요, 기쁘면

例 대학에 합격했을 때 정말 기뻤어요.
大学に合格した時、本当に嬉しかったです。

1242 길다

形 長い

反 짧다

※ 깁니다, 길어요, 길면

例 요즘은 긴 치마가 유행이에요.
最近は長いスカートが流行っています。

ㄱ

1243 깊다
[깁따]

形 深い　　　　反 얕다

※ 깊습니다, 깊어요, 깊으면

例 이 강은 깊어서 들어가면 안 돼요.
この川は深いので入ってはいけません。

1244 까맣다
[까마타]

形 黒い　　　　反 하얗다, 희다
類 검다

※ 까맣습니다, 까매요, 까마면

例 까만 정장을 샀어요.
黒いスーツを買いました。

1245 깨끗하다
[깨끄타다]

形 きれいだ、清潔だ　　　反 더럽다

※ 깨끗합니다, 깨끗해요, 깨끗하면

例 어제 청소를 해서 방이 깨끗해요.
昨日掃除をしたので部屋がきれいです。

| 1246 **나쁘다** | 形 悪い | 反 좋다 |
| | | ※ 나쁩니다, 나빠요, 나쁘면 |

例 저는 눈이 나빠요.
私は目が悪いです。

| 1247 **날씬하다** | 形 (体が)細い、スリムだ | 反 뚱뚱하다 |
| | | ※ 날씬합니다, 날씬해요, 날씬하면 |

例 몸이 날씬해서 뭐든지 잘 어울려요.
体がスリムで何でもよく似合います。

| 1248 **낫다** [낟따] | 形 ましだ、より良い、良い | |
| | | ※ 낫습니다, 나아요, 나으면 |

例 버스보다 지하철이 나아요.
バスより地下鉄の方がいいです。

| 1249 **낮다** [낟따] | 形 低い | 反 높다 |
| | | ※ 낮습니다, 낮아요, 낮으면 |

例 저 산은 생각보다 낮아요.
あの山は思ったより低いです。

| 1250 **넓다** [널따] | 形 広い | 反 좁다 |
| | | ※ 넓습니다, 넓어요, 넓으면 |

例 이 집은 방이 넓어요.
この家は部屋が広いです。

| 1251 **노랗다** [노라타] | 形 黄色い | |
| | | ※ 노랗습니다, 노래요, 노라면 |

例 한국 카레는 색이 노래요.
韓国のカレーは色が黄色いです。

| 1252 | 높다 [놉따] | 形 高い | 反 낮다 |

※ 높습니다, 높아요, 높으면

例 저 높은 빌딩은 뭐예요?
あの高いビルは何ですか。

| 1253 | 느리다 | 形 （速度が）遅い | 反 빠르다 |
| | | 類 늦다 | |

※ 느립니다, 느려요, 느리면

例 저는 말이 느려요.
私は話すのが遅いです。

| 1254 | 늦다 [늗따] | 動/形 （時間が）遅い | 反 이르다, 빠르다 |

※ 늦습니다, 늦어요, 늦으면

例 늦은 시간까지 공부했어요.
遅い時間まで勉強しました。

1255 다르다 形 違う、異なる 反 같다, 동일하다

※ 다릅니다, 달라요, 다르면

例 우리는 성격이 정말 달라요.
私たちは性格が本当に違います。

1256 다양하다 形 多様だ

※ 다양합니다, 다양해요, 다양하면

例 세상에는 다양한 사람들이 있어요.
世の中には多様な人がいます。

1257 단순하다 形 単純だ、シンプルだ 反 복잡하다
類 간단하다

※ 단순합니다, 단순해요, 단순하면

例 그냥 단순하게 생각하기로 했어요.
ただ単純に考えることにしました。

1258 달다 形 甘い

※ 답니다, 달아요, 달면

例 케이크가 달고 맛있어요.
ケーキが甘くて美味しいです。

1259 답답하다
[답따파다] 形 もどかしい 反 후련하다

※ 답답합니다, 답답해요, 답답하면

例 처음에는 말이 안 통해서 답답했어요.
最初は言葉が通じなくてもどかしかったです。

1260 더럽다
[더럽따] 形 汚い 反 깨끗하다
類 지저분하다

※ 더럽습니다, 더러워요, 더러우면

例 청소를 안 해서 방이 더러워요.
掃除をしていないので部屋が汚いです。

1261 **덥다** [덥따]	形 暑い	反 춥다

※ 덥습니다, 더워요, 더우면

例 이번 여름은 정말 더워요.
この夏は本当に暑いです。

1262 **두껍다** [두껍따]	形 厚い	反 얇다

※ 두껍습니다, 두꺼워요, 두꺼우면

例 추워서 두꺼운 옷을 샀어요.
寒くて、厚手の服を買いました。

1263 **따뜻하다** [따뜨타다]	形 温かい	

※ 따뜻합니다, 따뜻해요, 따뜻하면

例 밖은 춥지만 방 안은 따뜻해요.
外は寒いけど、部屋の中は暖かいです。

1264 **똑같다** [똑깓따]	形 同じだ	反 다르다
	類 같다, 동일하다	

※ 똑같습니다, 똑같아요, 똑같으면

例 제 친구와 저는 이름이 똑같아요.
私の友達と私は名前が同じです。

1265 **똑똑하다** [똑또카다]	形 賢い	
	類 영리하다	

※ 똑똑합니다, 똑똑해요, 똑똑하면

例 그 사람은 참 똑똑해요.
その人はとても賢いです。

1266 **뚱뚱하다**	形 太っている	

※ 뚱뚱합니다, 뚱뚱해요, 뚱뚱하면

例 이 옷은 좀 뚱뚱해 보여요.
この服は少し太って見えます。

1267 **뜨겁다**
[뜨겁따]

形　熱い

反　차갑다

※ 뜨겁습니다, 뜨거워요, 뜨거우면

例　커피가 뜨거워요.
　　コーヒーが熱いです。

1268	**많다** [만타]	形 多い	反 적다

※ 많습니다, 많아요, 많으면

例 주말에는 쇼핑몰에 사람이 많아요.
週末はショッピングモールに人が多いです。

1269	**맑다** [막따]	形 清い、晴れている	反 흐리다

※ 맑습니다, 맑아요, 맑으면

例 날씨가 맑아요.
天気が晴れています。

1270	**맛없다** [마덥따]	形 まずい、美味しくない	反 맛있다

※ 맛없습니다, 맛없어요, 맛없으면

例 이 김치는 별로 맛없네요.
このキムチはあまり美味しくないですね。

1271	**맛있다** [마실따]	形 美味しい	反 맛없다

※ 맛있습니다, 맛있어요, 맛있으면

例 배고플 때는 뭐든지 맛있어요.
お腹が空いた時は何でも美味しいです。

1272	**맵다** [맵따]	形 辛い	

※ 맵습니다, 매워요, 매우면

例 이 김치찌개가 맵네요.
このキムチチゲは辛いですね。

1273	**멀다**	形 遠い	反 가깝다

※ 멉니다, 멀어요, 멀면

例 집에서 학교까지 멀어요.
家から学校まで遠いです。

🎧 1274 **멋있다**
[머싣따]

形 格好いい

※ 멋있습니다, 멋있어요, 멋있으면

例 얼굴이 멋있어요.
顔が格好いいです。

🎧 1275 **못생기다**
[몯쌩기다]

形 不細工だ　　反 잘생기다

※ 못생겼습니다, 못생겼어요. 못생겼으면

例 이 영화는 못생긴 캐릭터가 주인공이에요.
この映画は不細工なキャラクターが主人公です。

🎧 1276 **무겁다**
[무겁따]

形 重い　　反 가볍다

※ 무겁습니다, 무거워요, 무거우면

例 책을 너무 많이 넣어서 가방이 무거워요.
本を入れすぎて、カバンが重いです。

🎧 1277 **무섭다**
[무섭따]

形 怖い

※ 무섭습니다, 무서워요, 무서우면

例 친구 집에서 무서운 영화를 봤어요.
友達の家で怖い映画を見ました。

🎧 1278 **미안하다**

形 すまない、申し訳ない

※ 미안합니다, 미안해요, 미안하면

例 늦어서 미안해요.
遅れてすみません。

1279 바쁘다 　　形 忙しい　　　　反 한가하다

※ 바쁩니다, 바빠요, 바쁘면

例 요즘 일이 바빠요.
最近仕事が忙しいです。

1280 반갑다
[반갑따] 　　形 (会えて) 嬉しい

※ 반갑습니다, 반가워요, 반가우면

例 만나서 반갑습니다.
お会いできて嬉しいです。

1281 밝다
[박따] 　　形 明るい　　　　反 어둡다

※ 밝습니다, 밝아요, 밝으면

例 오늘은 달이 밝아요.
今日は月が明るいです。

ㅂ

1282 복잡하다
[복짜파다] 　　形 混雑だ
　　類 혼잡하다

※ 복잡합니다, 복잡해요, 복잡하면

例 도로에 차가 많아서 복잡해요.
道路に車が多くて混雑しています。

1283 부끄럽다
[부끄럽따] 　　形 恥ずかしい
　　類 창피하다

※ 부끄럽습니다, 부끄러워요,
부끄러우면

例 부끄러워서 얼굴이 빨개졌어요.
恥ずかしくて顔が赤くなりました。

1284 부드럽다
[부드럽따] 　　形 柔らかい　　　反 거칠다

※ 부드럽습니다, 부드러워요, 부드러우면

例 이 옷은 천이 부드러워요.
この服は布が柔らかいです。

🎧 1285 부럽다
[부럽따]

形 羨ましい

※ 부럽습니다, 부러워요, 부러우면

例 한국어를 잘하는 친구가 부러워요.
韓国語が上手な友達が羨ましいです。

🎧 1286 부족하다
[부조카다]

形 足りない、不足する 反 넉넉하다, 충분하다

類 모자라다

※ 부족합니다, 부족해요, 부족하면

例 숙제가 많아서 시간이 부족해요.
宿題が多くて、時間が足りないです。

🎧 1287 부지런하다

形 勤勉だ、真面目だ 反 게으르다

※ 부지런합니다, 부지런해요, 부지런하면

例 새벽부터 부지런하게 일해요.
明け方から真面目に働きます。

🎧 1288 분명하다

形 明確だ

類 확실하다

※ 분명합니다, 분명해요, 분명하면

例 저는 분명한 목표를 가지고 있어요.
私は明確な目標を持っています。

🎧 1289 불쌍하다

形 可哀そうだ

類 가엾다

※ 불쌍합니다, 불쌍해요, 불쌍하면

例 주인이 없는 강아지가 불쌍해요.
飼い主のいない子犬が可哀そうです。

🎧 1290 불안하다

形 不安だ

※ 불안합니다, 불안해요, 불안하면

例 내일이 시험이라서 불안해요.
明日が試験だから、不安です。

1291 불편하다

形 不便だ　　反 편리하다, 편하다

※ 불편합니다, 불편해요, 불편하면

例 이 자리는 좁아서 불편해요.
この席は狭くて不便です。

1292 붉다 [북따]

形 赤い
類 빨갛다

※ 붉습니다, 붉어요, 붉으면

例 붉은 노을이 정말 예쁘네요.
赤い夕焼けは本当にきれいですね。

1293 비슷하다 [비스타다]

形 似ている　　反 다르다

※ 비슷합니다, 비슷해요, 비슷하면

例 동생과 얼굴이 비슷해요.
妹と顔が似ています。

1294 비싸다

形 (値段が)高い　反 싸다, 저렴하다
類 값비싸다

※ 비쌉니다, 비싸요, 비싸면

例 요즘 과일이 비싸요.
最近果物が高いです。

1295 빠르다

形 速い　　反 느리다

※ 빠릅니다, 빨라요, 빠르면

例 저는 걸음이 빨라요.
私は歩くのが速いです。

1296 빨갛다 [빨가타]

形 赤い
類 붉다

※ 빨갛습니다, 빨개요, 빨가면

例 추워서 얼굴이 빨개요.
寒くて顔が赤いです。

1297 새롭다
[새롭따]

形 新しい

※ 새롭습니다, 새로워요, 새로우면

例 요즘 새로운 취미가 생겼어요.
最近新しい趣味ができました。

1298 선선하다

形 涼しい
類 서늘하다

※ 선선합니다, 선선해요, 선선하면

例 가을이 되어서 바람도 선선하네요.
秋になって風も涼しいですね。

1299 섭섭하다
[섭써파다]

形 寂しい、もの足りない
類 서운하다

※ 섭섭합니다, 섭섭해요, 섭섭하면

例 여자 친구가 제 생일을 잊어버려서 섭섭해요.
彼女が私の誕生日を忘れて寂しいです。

1300 세다

形 強い
類 강하다
反 약하다

※ 셉니다, 세요, 세면

例 오늘은 바람이 세네요.
今日は風が強いですね。

1301 소중하다

形 大切だ

※ 소중합니다, 소중해요, 소중하면

例 강아지도 소중한 가족이에요.
子犬も大切な家族です。

1302 쉽다
[쉽따]

形 易しい、簡単だ
反 어렵다

※ 쉽습니다, 쉬워요, 쉬우면

例 한국어 시험이 쉬웠어요.
韓国語の試験は簡単でした。

1303 슬프다 形 悲しい

※ 슬픕니다, 슬퍼요, 슬프면

例 영화가 슬퍼서 울었어요.
映画が悲しくて泣きました。

1304 시끄럽다
[시끄럽따] 形 うるさい

※ 시끄럽습니다, 시끄러워요, 시끄러우면

例 밖에서 시끄러운 소리가 들려요.
外からうるさい音が聞こえます。

1305 시다 形 酸っぱい

※ 십니다, 셔요, 시면

例 레몬이 셔요.
レモンが酸っぱいです。

1306 시원하다 形 涼しい

※ 시원합니다, 시원해요, 시원하면

例 바닷바람이 시원해요.
海の風が涼しいです。

1307 신선하다 形 新鮮だ

※ 신선합니다, 신선해요, 신선하면

例 신선한 과일을 먹고 싶어요.
新鮮な果物が食べたいです。

1308 싫다
[실타] 形 嫌いだ、嫌だ　　反 좋다

※ 싫습니다, 싫어요, 싫으면

例 병원은 싫어요.
病院は嫌いです。

ㅅ

1309 **심심하다**	形 暇だ、退屈だ	反 바쁘다

※ 심심합니다, 심심해요, 심심하면

例 약속이 취소돼서 심심해요.
約束がキャンセルになったから、暇です。

1310 **심하다**	形 ひどい	

※ 심합니다, 심해요, 심하면

例 심한 감기에 걸렸어요.
ひどい風邪をひきました。

1311 **싱겁다** [싱겁따]	形 (味が) 薄い	

※ 싱겁습니다, 싱거워요, 싱거우면

例 국물이 싱거워요.
汁の味が薄いです。

1312 **싸다**	形 (値段が) 安い	反 비싸다
	類 저렴하다	

※ 쌉니다, 싸요, 싸면

例 생각보다 옷이 싸요.
思ったより服が安いです。

1313 **쌀쌀하다**	形 肌寒い	
	類 차다	

※ 쌀쌀합니다, 쌀쌀해요, 쌀쌀하면

例 기온이 낮아져서 바람이 쌀쌀해요.
気温が低くなり、風が肌寒いです。

1314 **쓰다**	形 苦い	反 달다

※ 씁니다, 써요, 쓰면

例 약이 써요.
薬が苦いです。

1315 **아름답다** [아름답따]	形	美しい
	類	예쁘다 ※ 아름답습니다, 아름다워요, 아름다우면
例	경치가 아름답네요. 景色がきれいですね。	

1316 **아프다**	形	痛い、具合が悪い
		※ 아픕니다, 아파요, 아프면
例	너무 많이 먹어서 배가 아파요. 食べ過ぎてお腹が痛いです。	

1317 **알맞다** [알맏따]	形	適切だ
	類	적당하다 ※ 알맞습니다, 알맞아요, 알맞으면
例	단어를 알맞게 쓰고 있어요. 単語を適切に使っています。	

1318 **약하다** [야카다]	形	弱い	反	강하다, 세다
			※ 약합니다, 약해요, 약하면	
例	힘이 약해요. 力が弱いです。			

1319 **얇다** [얄따]	形	薄い	反	두껍다
			※ 얇습니다, 얇아요, 얇으면	
例	옷이 얇아서 추워요. 服が薄くて寒いです。			

1320 **어둡다** [어둡따]	形	暗い	反	밝다
			※ 어둡습니다, 어두워요, 어두우면	
例	방이 어두워요. 部屋が暗いです。			

ㅇ

1321 어렵다
[어렵따]

形　難しい　　反　쉽다

※ 어렵습니다, 어려워요, 어려우면

例　시험이 어려웠어요.
試験が難しかったです。

1322 어리다

形　幼い、年下だ

※ 어립니다, 어려요, 어리면

例　어릴 때 외국에 살았어요.
幼い時、外国に住んでいました。

1323 없다
[업따]

形　ない、いない　　反　있다

※ 없습니다, 없어요, 없으면

例　시간이 별로 없어요.
時間があまりありません。

1324 예쁘다

形　綺麗だ
類　아름답다

※ 예쁩니다, 예뻐요, 예쁘면

例　디자인이 예뻐서 마음에 들었어요.
デザインが綺麗で気に入りました。

1325 오래되다

形　古い、古くなる

※ 오래됐습니다, 오래됐어요, 오래되면

例　이 책이 박물관에서 가장 오래된 물건이에요.
この本が博物館で最も古いものです。

1326 옳다
[올타]

形　正しい　　反　그르다, 틀리다
類　맞다, 바르다

※ 옳습니다, 옳아요, 옳으면

例　알아보니 친구 말이 옳았어요.
調べてみたら友達の話が正しかったです。

1327 외롭다
[외롭따]

形 寂しい

類 쓸쓸하다

※ 외롭습니다, 외로워요, 외로우면

例 혼자라서 외로워요.
一人だから寂しいです。

1328 위험하다

形 危険だ、危ない

反 안전하다

※ 위험합니다, 위험해요, 위험하면

例 여기는 공사장이라서 위험해요.
ここは工事現場なので危険です。

1329 유명하다

形 有名だ

※ 유명합니다, 유명해요, 유명하면

例 김치는 세계적으로 유명한 음식이에요.
キムチは世界的に有名な食べ物です。

1330 이렇다
[이러타]

形 こうだ

※ 이렇습니다, 이래요, 이러면

例 제 의견은 이렇습니다.
私の意見はこうです。

1331 이르다

形 早い

類 빠르다

※ 이릅니다, 일러요, 이르면

例 조금 이르지만 시작할까요?
少し早いですが始めましょうか。

1332 익숙하다
[익쑤카다]

形 慣れている、なじみだ

※ 익숙합니다, 익숙해요, 익숙하면

例 아직 익숙하지 않아서 조금 힘들어요.
まだ慣れていなくて少し大変です。

ㅇ

1333	**작다** [작따]	形 小さい	反 크다

※ 작습니다, 작아요, 작으면

例 치마가 작아서 바꾸고 싶어요.
スカートが小さくて交換したいです。

1334	**잘생기다**	形 イケメンだ	反 못생기다

※ 잘생겼습니다, 잘생겼어요, 잘생겼으면

例 그 배우는 정말 잘생겼어요.
その俳優はとてもイケメンです。

1335	**재미없다** [재미업따]	形 つまらない、退屈だ	反 재미있다

※ 재미없습니다, 재미없어요, 재미없으면

例 이 드라마는 재미없으니까 보지 마세요.
このドラマはつまらないので見ないでください。

1336	**재미있다** [재미읻따]	形 面白い	反 재미없다

※ 재미있습니다, 재미있어요, 재미있으면

例 그 영화는 아주 재미있었어요.
その映画はとても面白かったです。

1337	**저렇다** [저러타]	形 ああだ	

※ 저렇습니다, 저래요, 저러면

例 그 사람은 항상 저래요.
彼はいつもああです。

1338	**적다** [적따]	形 少ない	反 많다

※ 적습니다, 적어요, 적으면

例 그 요리는 양이 적어요.
その料理は量が少ないです。

1339 적당하다
[적땅하다]

形 適当だ、ちょうどいい

類 알맞다

※ 적당합니다, 적당해요, 적당하면

例 사이즈가 적당해요.
サイズがちょうどいいです。

1340 젊다
[점따]

形 若い

※ 젊습니다, 젊어요, 젊으면

例 나이에 비해 젊어 보여요.
歳の割に若く見えます。

1341 정확하다
[정화카다]

形 正確だ

反 부정확하다

※ 정확합니다, 정확해요, 정확하면

例 정확한 시간에 도착했어요.
正確な時間に着きました。

1342 조용하다

形 静かだ

反 시끄럽다

※ 조용합니다, 조용해요, 조용하면

例 도서관은 조용해서 집중이 잘 돼요.
図書館は静かで集中できます。

1343 좁다
[좁따]

形 狭い

反 넓다

※ 좁습니다, 좁아요, 좁으면

例 방이 좁아서 넓은 곳으로 이사하고 싶어요.
部屋が狭くて広いところに引っ越したいです。

1344 좋다
[조타]

形 いい

反 나쁘다, 싫다

※ 좋습니다, 좋아요, 좋으면

例 날씨가 좋은데 산책이라도 할까요?
天気がいいので散歩でもしましょうか。

🎧 1345	**죄송하다**	形 すまない、申し訳ない

※ 죄송합니다, 죄송해요, 죄송하면

例 죄송합니다만 다시 한번 말씀해 주세요.
申し訳ないですが、もう一度仰ってください。

🎧 1346	**중요하다**	形 重要だ

※ 중요합니다, 중요해요, 중요하면

例 오후에 중요한 회의가 있어요.
午後に重要な会議があります。

🎧 1347	**즐겁다** [즐겁따]	形 楽しい	反 괴롭다

※ 즐겁습니다, 즐거워요, 즐거우면

例 이번 여행해서 즐거운 시간을 보냈어요.
今回の旅行で楽しい時間を過ごしました。

🎧 1348	**지루하다**	形 退屈だ、つまらない

※ 지루합니다, 지루해요, 지루하면

例 영화가 너무 지루했어요.
映画がとても退屈でした。

🎧 1349	**진하다**	形 濃い	反 연하다

※ 진합니다, 진해요, 진하면

例 이 커피는 엄청 진하네요.
このコーヒーはすごく濃いですね。

🎧 1350	**짜다**	形 塩っぱい	反 싱겁다

※ 짭니다, 짜요, 짜면

例 소금을 너무 많이 넣어서 음식이 짜요.
塩を入れすぎて食べ物が塩っぱいです。

1351 **짧다**
[짤따]

形 短い

反 길다

※ 짧습니다, 짧아요, 짧으면

例 그 사람은 머리가 짧아요.
その人は髪が短いです。

🎧 1352	**차갑다** [차갑따]	形 冷たい	反 뜨겁다
		類 차다	※ 차갑습니다, 차가워요, 차가우면

例 손이 차갑네요.
手が冷たいですね。

🎧 1353	**차다**01	形 冷たい	反 뜨겁다
		類 차갑다	※ 찹니다, 차요, 차면

例 손이 너무 차네요.
手がとても冷たいですね。

🎧 1354	**차다**02	形 満ちる、いっぱいになる
		※ 찹니다, 차요, 차면

例 냉장고가 차서 더이상 음식을 넣을 수 없어요.
冷蔵庫がいっぱいになって、もう食べ物を入れることはできません。

🎧 1355	**착하다** [차카다]	形 優しい、善良だ	反 나쁘다, 못되다
		類 선하다	※ 착합니다, 착해요, 착하면

例 제 친구들은 다 착해요.
私の友達はみんな優しいです。

🎧 1356	**춥다** [춥따]	形 寒い	反 덥다
			※ 춥습니다, 추워요, 추우면

例 요즘 날씨가 추워서 감기에 걸렸어요.
最近天気が寒くて風邪をひきました。

🎧 1357	**충분하다**	形 十分だ	反 불충분하다
			※ 충분합니다, 충분해요, 충분하면

例 시간은 일주일이면 충분합니다.
時間は1週間で十分です。

1358 **친절하다**	形 親切だ	反 불친절하다

※ 친절합니다, 친절해요, 친절하면

例 여기 종업원은 친절해요.
ここの従業員は親切です。

1359 **친하다**	形 親しい	
	類 가깝다	※ 친합니다, 친해요, 친하면

例 친한 친구가 다른 학교로 전학을 갔어요.
親しい友達が違う学校へ転校して行きました。

1360	**크다**	形 大きい、（背が）高い 反 작다

※ 큽니다, 커요, 크면

例 가방이 커서 좋아요.
カバンが大きくていいです。

1361	**특별하다** [특뼐하다]	形 特別だ

※ 특별합니다, 특별해요, 특별하면

例 이건 저에게 특별한 옷이에요.
これは私に特別な服です。

1362	**튼튼하다**	形 丈夫だ、健やかだ 反 약하다 類 건강하다

※ 튼튼합니다, 튼튼해요, 튼튼하면

例 제 친구는 몸이 튼튼해요.
私の友達は体が丈夫です。

1363	**틀리다**	形 間違う、間違える 反 맞다

※ 틀립니다, 틀려요, 틀리면

例 이 문제는 쉬운데 틀렸어요.
この問題は簡単なのに間違いました。

1364 파랗다
[파라타]

形　青い

※ 파랗습니다, 파래요, 파라면

例　가을 하늘은 정말 높고 파래요.
秋の空は本当に高くて青いです。

1365 편리하다
[펼리하다]

形　便利だ　　　　反　불편하다

※ 편리합니다, 편리해요, 편리하면

例　이곳은 교통이 편리해요.
ここは交通が便利です。

1366 편안하다

形　平安だ、安らかだ、　反　불안하다
　　心地よい

※ 편안합니다, 편안해요, 편안하면

例　편안한 주말 저녁 보내세요.
心地よい週末の夜をお過ごしください。

1367 편하다

形　楽だ　　　　　　反　불편하다

※ 편합니다, 편해요, 편하면

例　손님이 없어서 일이 편해요.
お客さんがいなくて仕事が楽です。

1368 푸르다

形　青い
類　파랗다

※ 푸릅니다, 푸르러요, 푸르면

例　가을 하늘이 맑고 푸르러요.
秋の空がきれいで青いです。

1369 피곤하다

形　疲れている

※ 피곤합니다, 피곤해요, 피곤하면

ㅋ/ㅌ/ㅍ

例　어제 야근을 해서 너무 피곤해요.
昨日残業をしてとても疲れています。

1370 **필요하다** | 形 必要だ | 反 불필요하다

※ 필요합니다, 필요해요, 필요하면

例 필요한 것이 있으면 이야기하세요.

必要なものがあったら言ってください。

1371 하양다
[하야타]

形 白い
類 희다

反 까맣다

※ 하얍니다, 하얘요, 하야면

例 피부가 하얘서 잘 어울려요.
肌が白くてよく似合います。

1372 한가하다

形 暇だ

反 바쁘다

※ 한가합니다, 한가해요, 한가하면

例 내일 한가하면 저녁 먹으러 오세요.
明日暇だったら夕食を食べに来てください。

1373 화려하다

形 華麗だ、派手だ

反 소박하다

※ 화려합니다, 화려해요, 화려하면

例 이 옷은 디자인과 색이 너무 화려하군요.
この服はデザインと色がとても派手ですね。

1374 훌륭하다

形 立派だ、素晴らしい
類 뛰어나다

※ 훌륭합니다, 훌륭해요, 훌륭하면

例 이 작가는 훌륭한 작품을 많이 남겼습니다.
この作家は素晴らしい作品をたくさん残しました。

1375 흐리다

形 曇っている

反 맑다

※ 흐립니다, 흐려요, 흐리면

例 아침에는 흐렸는데 오후에는 날씨가 갰어요.
朝は曇っていたけど、午後は晴れました。

1376 힘들다

形 大変だ、苦労している
類 어렵다, 힘겹다

※ 힘듭니다, 힘들어요, 힘들면

例 외국 생활은 생각보다 힘들어요.
外国の生活は思ったより大変です。

ㅎ

副詞の音声は、QR コードを
スキャンするとダウンロードいただけます。

4

副詞

| 1377 | **가장** | 副 | 最も、一番 |
| | | 類 | 제일 |

例 한국 요리 중에서 비빔밥을 가장 좋아해요.
韓国料理の中でビビンバが一番好きです。

| 1378 | **갑자기**
[갑짜기] | 副 | 急に、突然 |

例 갑자기 비가 내렸어요.
急に雨が降りました。

| 1379 | **같이**
[가치] | 副 | 一緒に |
| | | 類 | 함께 |

例 저하고 같이 가요.
私と一緒に行きましょう。

| 1380 | **곧** | 副 | すぐ、そろそろ |
| | | 類 | 바로, 곧바로 |

例 영화가 곧 시작해요.
映画がそろそろ始まります。

| 1381 | **그냥** | 副 | なんだか、なんとなく、ただ |

例 신제품이라서 그냥 사 봤어요.
新製品なので、なんとなく買ってみました。

| 1382 | **그대로** | 副 | そのまま |

例 버리지 말고 그대로 두세요.
捨てないで、そのままおいてください。

1383 그래서

副	なので、それで
類	그러므로, 따라서, 그러니까

例 시간이 없었어요. 그래서 밥을 못 먹었어요.
時間がありませんでした。なので、ご飯を食べられませんでした。

1384 그러나

副	しかし
類	하지만, 그렇지만

例 성적도 중요합니다. 그러나 더 중요한 것도 많습니다.
成績も重要です。しかし、もっと大事なこともたくさんあります。

1385 그러니까

副	だから、なので
類	그러므로, 따라서, 그래서

例 지난번에는 감사했습니다. 그러니까 이번에는 제가 살게요.
先日はありがとうございました。だから今回は私がおごります。

1386 그러면

副	それでは、そうすると	縮	그럼

例 시간이 없어요? 그러면 먼저 가세요.
時間がないですか。それではお先にどうぞ。

1387 그런데

副	ところで、ところが

例 안녕하세요. 그런데 누구세요?
こんにちは。ところで、どなたですか。

1388 그렇지만
[그러치만]

副	しかし、でも
類	하지만, 그러나

例 한국어는 어렵습니다. 그렇지만 재미있습니다.
韓国語は難しいです。でも、面白いです。

1389 **그리고** 副 そして

例 샤워를 했어요. 그리고 잤어요.
シャワーを浴びました。そして、寝ました。

1390 **그만** 副 ～することをやめる、もう（～しない）

例 저는 그만 먹겠습니다.
私はもう食べません。

1391 **금방** 副 たった今、今すぐ
類 방금, 바로, 빨리, 얼른

例 저도 금방 왔어요.
私もたった今来ました。

1392 **깜짝** 副 びっくり

例 모르는 사람이 인사를 해서 깜짝 놀랐어요.
知らない人が挨拶をしてびっくりしました。

1393 **꼭** 副 必ず、きっと、ぜひ
類 반드시

例 제 생일 파티에 꼭 오세요.
私の誕生日パーティーにぜひ来てください。

1394 **내일** 名/副 明日

例 내일 만나요.
明日会いましょう。

ㄴ/ㄷ

| 1395 | **너무** | 副 | とても、〜すぎる |
| | | 類 | 매우, 아주 |

例 사람이 너무 많아요.
人が多すぎます。

| 1396 | **늘** | 副 | いつも |
| | | 類 | 항상, 언제나 |

例 이 식당은 늘 기다려야 해요.
この食堂はいつも待たなければなりません。

| 1397 | **다** | 副 | すべて、全部 |
| | | 類 | 모두, 전부 |

例 과제는 다 했어요?
課題は全部終わりましたか。

| 1398 | **다시** | 副 | 再び、また、もう一度 |

例 다시 할게요.
もう一回やります。

| 1399 | **대부분** | 名/副 | 大部分、ほとんど |
| | | 類 | 대개 |

例 그 소문은 대부분 사실이에요.
その噂はほとんど事実です。

| 1400 | **더** | 副 | もっと | 反 | 덜 |

例 오늘이 어제보다 더 추워요.
今日が昨日よりもっと寒いです。

| 🎧 1401 | **더욱** | 副 | さらに、もっと |

例 그 이야기를 듣고 더욱 좋아졌어요.
その話を聞いてもっと好きになりました。

| 🎧 1402 | **드디어** | 副 | やっと、ついに |
| | | 類 | 결국, 마침내 |

例 숙제가 드디어 끝났어요.
宿題がついに終わりました。

| 🎧 1403 | **따로** | 副 | 別々に |

例 부모님과 따로 살아요.
両親と別々に暮らしています。

| 🎧 1404 | **또** | 副 | また |

例 또 만나요.
また会いましょう。

| 🎧 1405 | **또는** | 副 | または |

例 예약은 전화 또는 인터넷으로 할 수 있습니다.
予約は電話またはインターネットでできます。

| 🎧 1406 | **똑같이** [똑까치] | 副 | 同じく、同じように |

例 이거랑 똑같이 그리세요.
これと同じように描いてください。

1407 **똑바로** [똑빠로]	副 まっすぐ	
例	이쪽으로 똑바로 가세요. こちらにまっすぐ行ってください。	

1408 **많이**	副 たくさん	反 조금
例	많이 먹어서 배불러요. たくさん食べてお腹いっぱいです。	

1409 **매우**	副 とても 類 무척, 아주	
例	바람이 매우 강합니다. 風がとても強いです。	

1410 **멀리**	副 遠く	反 가까이
例	저기 멀리 보이는 곳이 남산 타워예요. あそこの遠くに見えるところが南山タワーです。	

1411 **무척**	副 非常に、とても 類 아주, 매우	
例	오랜만에 만나서 무척 반가웠어요. 久しぶりに会えてとても嬉しかったです。	

1412 **미리**	副 先に、前もって、あらかじめ	
例	가기 전에 미리 연락주세요. 行く前にあらかじめ連絡ください。	

ㄷ/ㅁ

| 1413 | **바로** | 副 | すぐ、直ちに |

例 바로 **연락 주세요.**
すぐに連絡ください。

| 1414 | **반드시** | 副 | 必ず |
| | | 類 | 꼭 |

例 반드시 **가겠습니다.**
必ず行きます。

| 1415 | **방금** | 副 | 今、ついさっき |
| | | 類 | 금방 |

例 방금 **집에 갔어요.**
ついさっき家に帰りました。

| 1416 | **벌써** | 副 | すでに、もう | 反 | 아직 |
| | | 類 | 이미, 어느새 |

例 벌써 **여름 방학이에요.**
もう夏休みです。

| 1417 | **별로** | 副 | 別に、さほど、あまり |

例 오늘은 별로 **춥지 않아요.**
今日はさほど寒くありません。

| 1418 | **보다** | 副 | より、さらに |

例 앞으로 보다 **노력하겠습니다.**
今後、より努力いたします。

ㅂ/ㅅ/ㅇ

🎧 1419 **보통**　名/副　普通、たいてい

例　보통 일곱 시에 일어나요.
　　たいてい7時に起きます。

🎧 1420 **빨리**　副　速く
　　類　재빨리

例　저는 밥을 빨리 먹어요.
　　私はご飯を速く食べます。

🎧 1421 **사실**　名/副　実は

例　사실 친구와 이 영화를 이미 봤어요.
　　実は友達とこの映画をすでに観ました。

🎧 1422 **서로**　副　互いに、互い

例　두 사람은 서로 사랑하는 사이예요.
　　二人は互いに愛し合っている関係です。

🎧 1423 **스스로**　名/副　自分で

例　방 청소는 스스로 하세요.
　　部屋の掃除は自分でしてください。

🎧 1424 **아까**　名/副　さっき　　反　이따, 이따가
　　類　금방

例　아까 들었는데 잊어버렸어요.
　　さっき聞いたのに忘れてしまいました。

1425	아마	副 たぶん
		類 어쩌면

例 아마 그 사람도 모를 거예요.
たぶんあの人も知らないでしょう。

1426	아무리	副 いくら、どんなに

例 아무리 찾아도 보이지 않아요.
いくら探しても見当たりません。

1427	아주	副 とても
		類 매우, 무척

例 한국어 공부가 아주 재미있어요.
韓国語の勉強はとても楽しいです。

1428	아직	副 まだ

例 아직 생각 중이에요.
まだ考えているところです。

1429	약간 [약깐]	名/副 少し、若干
		類 조금, 좀

例 소금을 약간만 넣어주세요.
塩を少しだけ入れてください。

1430	어서	副 はやく	反 천천히, 서서히
		類 빨리, 얼른	

例 어서 일어나세요.
はやく起きてください。

1431 언제　名/副　いつ

例　언제 한국에 가요?
　　いつ韓国に行きますか。

1432 언제나　副　いつも
　　　　　　　類　늘, 항상

例　저 둘은 언제나 같이 있어요.
　　あの二人はいつも一緒にいます。

1433 얼마나　副　どのくらい、どれほどに

例　집에서 학교까지 얼마나 걸려요?
　　家から学校までどのくらいかかりますか。

1434 역시　副　やはり
　　[역씨]　類　또한

例　지금도 역시 좋아해요.
　　今もやはり好きです。

1435 열심히　副　一生懸命、熱心に
　　[열씸히]

例　한국어를 열심히 공부하고 있어요.
　　韓国語を熱心に勉強しています。

1436 오래　副　(時間) 長く

例　이 동네에 오래 살았어요.
　　この街に長く住んでいました。

ㅇ

1437	**완전히**	副 完全に

例 감기가 완전히 나았어요.
風邪が完全に治りました。

1438	**왜**	副 なぜ

例 왜 울어요?
なぜ泣いていますか。

1439	**왜냐하면**	副 なぜなら

例 왜냐하면 드라마가 슬퍼서요.
なぜならドラマが悲しいからです。

1440	**우선**	副 まず
		類 먼저

例 우선 저녁을 먹고 시작합시다.
まず夕飯を食べて始めましょう。

1441	**이따가**	副 後で
		類 나중에, 이따

例 이따가 연락하겠습니다.
後で連絡します。

1442	**이미**	副 もう、すでに
		類 벌써

例 이미 끝난 일이니까 잊어버리세요.
もう終わったことなので忘れてください。

1443 **일찍**

副 早く

類 빨리

例 좀 일찍 도착했어요.
少し早く着きました。

1444 **자꾸**

副 よく、しきりに、何度も

類 계속

例 자꾸 전화가 걸려 와요.
しきりに電話がかかってきます。

1445 **자세히**

副 詳しく、細かく

類 상세히

反 대강, 대충

例 좀 더 자세히 설명해 주세요.
もう少し詳しく説明してください。

1446 **자주**

副 よく、頻繁に

反 가끔, 때때로

例 K-pop을 자주 들어요.
K-popをよく聴きます。

ㅇ/ㅈ

1447 **잘**

副 よく、上手に

反 잘못

例 제 친구는 노래를 잘 불러요.
私の友達は歌を上手に歌います。

1448 **잘못**

副 誤って、間違えて

反 잘

例 긴장해서 이름을 잘못 썼어요.
緊張して名前を書き間違えました。

| 1449 | 잠깐 | 副 | しばらく、ちょっと | 反 | 오래 |
| | | 類 | 잠시 | | |

例 잠깐 기다려 주세요.
しばらくお待ちください。

| 1450 | 잠시 | 副 | 少々、少し | 反 | 오래 |
| | | 類 | 잠깐 | | |

例 잠시 뒤에 만납시다.
少し後で会いましょう。

| 1451 | 전혀 | 副 | 全然、全く | | |
| | | 類 | 도무지, 완전히 | | |

例 이 문제는 전혀 이해를 못 하겠어요.
この問題は全く理解ができません。

| 1452 | 점점 | 副 | ますます、段々、徐々に | | |
| | | 類 | 점차, 차차 | | |

例 날씨가 점점 추워지고 있어요.
天気が段々寒くなっています。

| 1453 | 제일 | 副 | 一番、最も | | |
| | | 類 | 가장 | | |

例 제일 자신이 있는 요리는 라면이에요.
一番自信がある料理はラーメンです。

| 1454 | 조금 | 副 | 少し、少々 | 反 | 많이 |
| | | 類 | 좀 | | |

例 이제 조금밖에 안 남았으니까 빨리 합시다.
もう少ししか残ってないので速くしましょう。

1455 **조용히** | 副 静かに

例 회의 중이니까 조금 조용히 해 주세요.
会議中なので少し静かにしてください。

1456 **주로** | 副 主に

例 쉬는 날에는 주로 집에서 드라마를 봐요.
休みの日には主に家でドラマを見ます。

1457 **진짜** | 副 本当に、非常に
| 類 진짜로

例 이 영화 진짜 재미있으니까 꼭 보세요.
この映画は本当に面白いのでぜひ見てください。

1458 **참** | 副 本当に、誠に、とても
| 類 매우, 아주, 정말

例 한국어는 어렵지만 참 재미있어요.
韓国語は難しいですが、とても面白いです。

ㅈ/ㅊ/ㅌ

1459 **천천히** | 副 ゆっくり | 反 빨리
| 類 느리게, 서서히

例 조금 더 천천히 얘기해 주세요.
もう少しゆっくり話してください。

1460 **특별히**
[특뻘히] | 副 特に、特別に | 反 보통
| 類 특히

例 이번 주말에는 특별히 할 일이 없습니다.
今週末には特にやることがありません。

1461	특히 [트키]	副 特に	反 보통
		類 특별히	

例 저는 과일 중에서 특히 포도를 좋아해요.
私は果物の中で特にぶどうが好きです。

1462	푹	副 ぐっすり	

例 몸이 안 좋을 때는 무리하지 말고 푹 쉬세요.
体調が悪い時は、無理しないでぐっすり休んでください。

1463	하지만	副 しかし	反 그리고
		類 그러나	

例 오늘은 시간이 없어요. 하지만 내일은 괜찮아요.
今日は時間がありません。しかし、明日は大丈夫です。

1464	함께	副 一緒に、共に	反 따로
		類 같이	

例 가족과 함께 살고 있어요.
家族と一緒に暮らしています。

1465	항상	副 いつも、常に	反 가끔
		類 늘, 언제나	

例 저는 아침에 항상 커피를 마셔요.
私は朝いつもコーヒーを飲みます。

1466	해마다	副 毎年、年々	
		類 매년	

例 이 지역은 외국인 관광객이 해마다 증가하고 있습니다.
この地域は外国人観光客が年々増加しています。

| 1467 | **혹시** [혹씨] | 副 | もし、もしかして |
| | | 類 | 혹 |

例 혹시 무슨 일이 생기면 언제든지 연락 주세요.
もし何か起こったら、いつでもご連絡ください。

| 1468 | **훨씬** | 副 | はるかに |
| | | 類 | 무척 |

例 형이 저보다 훨씬 키가 커요.
兄が私より背がはるかに大きいです。

ㅎ

その他（助数詞、連体詞など）の音声は、
QR コードをスキャンするとダウンロードいただけます。

5

その他

(助数詞, 連体詞など)

1469 **가지**

| 助数 | （種類の数え方）種類 |
| 類 | 종류 |

例 시장에서는 여러 가지 음식을 팔아요.
市場では色んな種類の食べ物を売っています。

1470 **각각**
[각깍]

| 名/副 | それぞれ、各々 |
| 類 | 각자 |

例 사람들은 각각의 생각을 가지고 있어요.
人はそれぞれの考えを持っています。

1471 **개**

| 助数 | 個 |

例 사과 한 개 주세요.
リンゴ一個ください。

1472 **개월**

| 助数 | ヶ月 |
| 類 | 달 |

例 육 개월 전에 한국에 왔어요.
六ヶ月前に韓国に来ました。

1473 **거의**
[거이]

| 名/副 | ほとんど |

例 평일에는 사람이 거의 없어요.
平日は人がほとんどいません。

1474 **계속**

| 名/副 | ずっと、継続 |

例 요즘도 계속 한국어를 배우고 있어요.
最近もずっと韓国語を習っています。

ㄱ/ㄴ

🎧 1475 **권** 助数 冊

例 서점에서 책을 한 권 샀어요.
本屋で本を一冊買いました。

🎧 1476 **그** 連 その

例 그 사람을 알아요?
その人を知っていますか。

🎧 1477 **그런** 連 そんな

例 그런 일이 있었군요.
そんなことがあったんですね。

🎧 1478 **그릇** 名/助数 (お椀、お皿) 杯、皿

例 밥 한 그릇만 더 주세요.
ごはんもう一杯ください。

🎧 1479 **그저께** 名/助数 一昨日

例 그저께 친구를 만났어요.
一昨日友達に会いました。

🎧 1480 **년** 助数 年
類 해

例 일 년 전부터 한국어를 공부하고 있어요.
一年前から韓国語を勉強しています。

| 1481 | 다른 | 連 | ほかの、別の |
| | | 類 | 딴 |

例 친구는 다른 학교에 다녀요.
友達は別の学校に通っています。

| 1482 | 달 | 名/助数 | ヶ月 |

例 유럽에서 한 달 동안 여행할 생각이에요.
ヨーロッパで一か月間旅行するつもりです。

| 1483 | 대 | 助数 | 台 |

例 집에 차가 한 대 있어요.
家に車が一台あります。

| 1484 | 도 | 助数 | (気温、角度) 度 |

例 오늘 기온은 몇 도예요?
今日の気温は何度ですか。

| 1485 | 마리 | 助数 | 匹 |

例 집에서 강아지 한 마리를 키워요.
家で子犬を一匹飼っています。

| 1486 | 만약 | 名/副 | 仮に、万が一、もし |
| | | 類 | 만일 |

例 만약 실패해도 너무 실망하지 마세요.
仮に失敗してもあまりがっかりしないでください。

| 1487 | **만일** | 名/副 | 仮に、万が一 |
| | | 類 | 만약 |

例　만일에 대비해서 늘 저축을 하고 있어요.
　　万が一に備えていつも貯金をしています。

| 1488 | **매년** | 名/副 | 毎年 |
| | | 類 | 해마다 |

例　이 행사는 매년 열립니다.
　　このイベントは毎年行われます。

口/ㅁ

| 1489 | **매달** | 名/副 | 毎月 |
| | | 類 | 매월 |

例　매달 첫째 주에 회의가 있어요.
　　毎月第1週に会議があります。

| 1490 | **매일** | 名/副 | 毎日 |

例　저는 어머니와 매일 전화해요.
　　私は母と毎日電話します。

| 1491 | **매주** | 名/副 | 毎週 |

例　매주 영어 스터디를 하고 있어요.
　　毎週英語の勉強会をしています。

| 1492 | **먼저** | 名/副 | 先、先に | 反 | 나중 |
| | | 類 | 미리, 앞서, 일찍이 | | |

例　오늘은 일이 있어서 먼저 갈게요.
　　今日は用事があるので先に失礼します。

1493 **명**　[助数]　名、人

[例]　신청자는 몇 명이에요?
申請者は何名ですか。

1494 **몇**　[連]　（数字）何、いくつ

[例]　지금 몇 시예요?
今何時ですか。

1495 **모두**　[名/副]　みんな、すべて
[類]　전부, 다

[例]　학생들이 모두 모였어요.
学生たちがみんな集まりました。

1496 **모든**　[連]　すべての

[例]　거의 모든 학교에 한국어 수업이 있어요.
ほとんどすべての学校に韓国語の授業があります。

1497 **모레**　[名/副]　明後日

[例]　마감일은 모레예요.
締め切り日は明後日です。

1498 **무슨**　[連]　何の、どんな

[例]　무슨 운동을 좋아하세요?
どんな運動が好きですか。

| 1499 | 물론 | 名/副 | もちろん |

例 숙제는 물론이고 예습 복습도 열심히 해요.
宿題はもちろん、予習復習も一生懸命します。

| 1500 | 미터 | 助数 | メートル |

例 백 미터는 몇 초에 달려요?
百メートルは何秒で走りますか。

| 1501 | 번 | 助数 | 番、回 |

例 한국에는 두 번 갔어요.
韓国には2回行きました。

| 1502 | 벌 | 助数 | 着 |

例 잠옷을 한 벌 샀어요.
寝巻を一着買いました。

| 1503 | 병 | 助数 | (瓶を数える) 本 |

例 맥주 한 병 주세요.
ビールを一本ください。

| 1504 | 분 | 助数 | 方、名様 |

例 몇 분이세요?
何名様ですか。

1505
살 助数 歳

例 올해 스무 살이 되었습니다.
今年20歳になりました。

1506
새 連 新、新しい 反 헌

例 새 컴퓨터를 샀어요.
新しいパソコンを買いました。

1507
세 助数 歳

例 만 이십 세부터 술을 마실 수 있습니다.
20歳からお酒が飲めます。

1508
센티미터 助数 センチメートル 縮 센티

例 키가 몇 센티미터예요?
背は何センチですか。

1509
약 連 約
類 대략

例 약 천 명이 모였습니다.
約千名が集まりました。

1510
어느 連 どの

例 어느 쪽으로 가면 돼요?
どの方向に行けばいいんですか。

1511 **어떤** 連 どんな

例 어떤 사람인지 궁금해요.
どんな人か気になります。

1512 **여러** 連 色々な、様々な

例 여러 나라를 여행하고 싶어요.
色々な国を旅行したいです。

1513 **원** 助数 ウォン

例 이 옷은 오만 원입니다.
この服は5万ウォンです。

1514 **월** 名/助数 月

例 생일이 몇 월입니까?
誕生日は何月ですか。

ㅅ/ㅇ

1515 **이제** 名/副 もう、これから

例 이제부터는 열심히 연습하겠습니다.
これからは一生懸命に練習します。

1516 **인분** 助数 人前、人分

例 떡볶이 삼 인분 주세요.
トッポッキ3人前下さい。

1517　일　助数　日

例　내일부터 사 일 동안 휴가를 가요.
明日から四日間休暇をとります。

1518　있다　[읻따]　動/形　ある、いる　　反　없다
※ 있습니다, 있어요, 있으면

例　주말에 시간이 있어요?
週末に時間がありますか。

1519　잔　助数　杯

例　커피 한 잔 어때요?
コーヒー一杯どうですか。

1520　장　助数　枚

例　종이 한 장 주세요.
紙一枚ください。

1521　전부　名/副　全部、すべて
類　모두, 다

例　저는 이 책을 전부 읽었어요.
私はこの本を全部読みました。

1522　접시　[접씨]　助数　皿
類　그릇

例　떡볶이 한 접시 주세요.
トッポッキ一皿ください。

| 1523 | **정말** | 名/副 | 本当（に） |
| | | 類 | 정말로, 진짜 |

例 콘서트는 정말 좋았어요.
コンサートは本当に良かったです。

| 1524 | **제** | 連 | 私の |

例 제 취미는 독서입니다.
私の趣味は読書です。

| 1525 | **주** | 名/助数 | 週 |

例 그 주는 시간이 없어요.
その週は時間がありません。

| 1526 | **지금** | 名/副 | 今 |

例 지금 몇 시예요?
今何時ですか。

ス/ㅊ

| 1527 | **직접**
[직쩝] | 名/副 | 直接 | 反 | 간접 |

例 제가 직접 이야기하겠습니다.
私が直接話します。

| 1528 | **처음** | 名/副 | 初め、初めて、最初 | 反 | 끝, 마지막 |

例 한국은 이번이 처음이에요.
韓国は今回が初めてです。

1529 초 [助数] 秒

[例] 오 초 동안 눈을 감아 보세요.
5秒間目を閉じてください。

1530 층 [名/助数] 階

[例] 가구 매장은 몇 층에 있어요?
家具売り場は何階にありますか。

1531 컵 [助数] コップ、杯
[類] 잔

[例] 아침에 우유를 한 컵 마셔요.
朝牛乳を一杯飲みます。

1532 켤레 [助数] 足、組

[例] 시장에서 양말 두 켤레를 샀습니다.
市場で靴下二足を買いました。

1533 킬로그램 [助数] キログラム [縮] 킬로

[例] 몸무게가 지난달보다 일 킬로그램 빠졌어요.
体重が先月より1キロ減りました。

1534 킬로미터 [助数] キロメートル [縮] 킬로

[例] 사람이 걷는 속도는 시속 사 킬로미터예요.
人が歩く速度は時速4キロです。

1535	**평소**	名/副	普段、平素
		類	평상시

例 일이 빨리 끝나서 평소보다 일찍 퇴근했어요.
仕事が早く終わり、普段より早く退勤しました。

1536	**한번**	名/副	一回、一度

例 다시 한번 천천히 말씀해 주세요.
もう一回ゆっくりとおっしゃってください。

1537	**한잔**	名/副	一杯

例 일이 끝나면 맥주 한잔 어때요?
仕事が終わったら、ビール一杯どうですか。

1538	**해**	助数	年
		類	년

例 한 해 동안 수고하셨습니다.
一年間お疲れ様でした。

1539	**호**	連	号、号室

例 제 방은 칠백일 호예요.
私の部屋は701号室です。

ㅋ/ㅎ

1540	**혼자**	名/副	一人（で）
		類	홀로

例 지금은 혼자 살고 있어요.
今は一人で住んでいます。

1541 **회**　[助数]　回、度、話

[例]　이 드라마는 팔 회까지 있어요.
　　　このドラマは8話まであります。

付録

몸

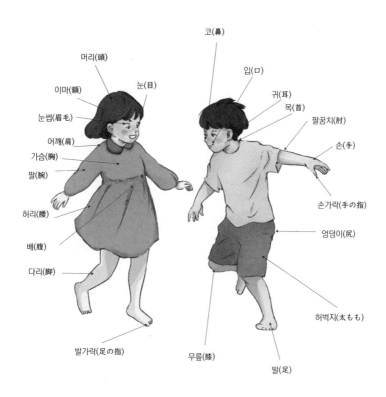

코(鼻)

머리(頭)
이마(額)
눈썹(眉毛)
어깨(肩)
가슴(胸)
팔(腕)
허리(腰)
배(腹)
다리(脚)

눈(目)

입(口)
귀(耳)
목(首)
팔꿈치(肘)
손(手)

손가락(手の指)

엉덩이(尻)

허벅지(太もも)

발가락(足の指)
무릎(膝)
발(足)

나라

독일(ドイツ)

러시아(ロシア)

멕시코(メキシコ)

미국(アメリカ)

베트남(ベトナム)

브라질(ブラジル)

영국(イギリス)

인도(インド)

일본(日本)

중국(中国)

캐나다(カナダ)

태국(タイ)

프랑스(フランス)

한국(韓国)

호주(オーストラリア)

날짜와 요일

◆ 월과 일

- Q: 오늘은 몇 월 며칠이에요?

1月	2月	3月	4月	5月	6月
일월	이월	삼월	사월	오월	유월

7月	8月	9月	10月	11月	12月
칠월	팔월	구월	시월	십일월	십이월

1日	2日	3日	4日	5日	6日	7日	8日	9日	10日
일일	이일	삼일	사일	오일	육일	칠일	팔일	구일	십일

11日	12日	13日	14日	15日	16日	17日	18日	19日	20日
십일일	십이일	십삼일	십사일	십오일	십육일	십칠일	십팔일	십구일	이십일

21日	22日	23日	24日	25日	26日	27日	28日	29日	30日
이십일일	이십이일	이십삼일	이십사일	이십오일	이십육일	이십칠일	이십팔일	이십구일	삼십일

※ 16日は [심뉵낄]、26日は [이심뉵낄] と発音される。

◆ 요일

月	火	水	木	金	土	日
월요일	화요일	수요일	목요일	금요일	토요일	일요일

漢数字と助数詞

◆ 漢数字

1	2	3	4	5	6	7	8	9	10
일	이	삼	사	오	육	칠	팔	구	십

11	12	13	14	15	16	17	18	19	20
십일	십이	십삼	십사	십오	십육	십칠	십팔	십구	이십

30	40	50	60	70	80	90	百	千	万
삼십	사십	오십	육십	칠십	팔십	구십	백	천	만

※「16（십육）」の発音は［심뉵］である。
※ 1万は「일만」ではなく、「만」となる。

◆ 漢数字とともに使う助数詞

番	번	階	층	度	도
ウォン	원	週	주	分	분
人前	인분	秒	초	ヶ月	개월
ページ	쪽 (페이지)	cm	센티미터	kg	킬로그램

固有数字と助数詞

◆ 固有数字

1	2	3	4	5	6	7	8	9	10
하나 (한)	둘(두)	셋(세)	넷(네)	다섯	여섯	일곱	여덟	아홉	열

11	12	13	14	15	16	17	18	19	20
열하나 (열한)	열둘 (열두)	열셋 (열세)	열넷 (열네)	열다섯	열여섯	열일곱	열여덟	열아홉	스물 (스무)

30	40	50	60	70	80	90
서른	마흔	쉰	예순	일흔	여든	아흔

※ 1・2・3・4・20は、後ろに助数詞が付くと括弧内のように変わる。
※ 時間を表すときは「시(時)」は固有数詞を使うが、「분(分)」は漢数詞を使う。

◆ 固有数字とともに使う助数詞

(人) 名	명	(もの) 個	개	(動物) 匹	마리
(年) 歳	살	(回数) 回	번	(人) 方	분
(本) 冊	권	(瓶) 本	병	(コップ) 杯	잔
(花) 本	송이	(紙) 枚	장	(履き物) 足	켤레
(皿) 杯	그릇	(時間) 時	시	(機械) 台	대
(皿) 杯	접시	(期間) 月	달	(洋服) 着	벌

가족

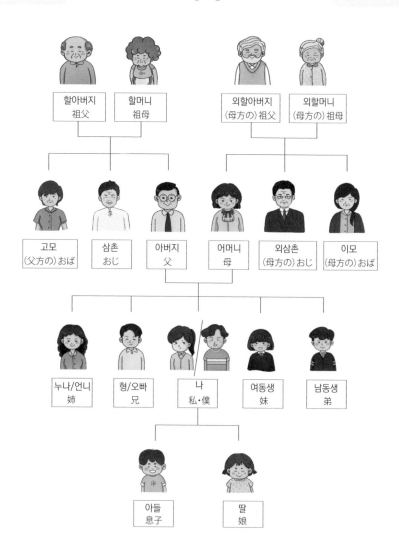

과일

/ 감(柿)

/ 귤(みかん)

/ 딸기(いちご)

/ 레몬(レモン)

/ 망고(マンゴー)

/ 멜론(メロン)

/ 바나나(バナナ)

/ 배(梨)

/ 복숭아(桃)

/ 사과(りんご)

/ 수박(すいか)

/ 오렌지(オレンジ)

/ 참외(甘瓜)

/ 파인애플(パイナップル)

/ 포도(ぶどう)

야채

감자（じゃがいも）

가지（茄子）

고구마（さつまいも）

고추（唐辛子）

당근（にんじん）

마늘（にんにく）

무（大根）

배추（白菜）

버섯（きのこ）

상추（サニーレタス）

시금치（ほうれん草）

양파（玉ねぎ）

오이（きゅうり）

옥수수（とうもろこし）

콩나물（豆もやし）

토마토（トマト）

파（ねぎ）

호박（かぼちゃ）

동물

개(犬)

개구리(蛙)

고양이(猫)

곰(熊)

닭(鶏)

돼지(豚)

말(馬)

뱀(蛇)

사슴(鹿)

사자(ライオン)

소(牛)

여우(きつね)

오리(鴨/あひる)

원숭이(猿)

쥐(ねずみ)

코끼리(象)

토끼(うさぎ)

호랑이(虎)

교통

고속버스（高速バス）

기차（汽車）

배（船）

버스（バス）

비행기（飛行機）

오토바이（バイク）

자동차/차（自動車/車）

자전거（自転車）

지하철（地下鉄）

고속철도（高速鉄道）

택시（タクシー）

트럭（トラック）

※「～に乗る」は「～을/를 타다」となる。

음식과 맛

◆ 음식

김밥	김치찌개	냉면	된장찌개	떡국

떡볶이	라면	만두	볶음밥	불고기

비빔밥	삼겹살	삼계탕	샌드위치	순두부찌개

육개장	자장면	파스타	피자	햄버거

◆ 맛

辛い	맵다	甘い	달다	塩っぱい	짜다
酸っぱい	시다	苦い	쓰다	(味が) 薄い	싱겁다
脂っこい	느끼하다	美味しい	맛있다	まずい	맛없다

※ 「맛없다」の発音は [마덥따] である。

스포츠

◆ 하다（する）を用いる単語

농구（バスケットボール）

배구（バレーボール）

수영（水泳）

야구（野球）

축구（サッカー）

태권도（テコンドー）

◆ 치다（打つ）を用いる単語

배드민턴（バドミントン）

탁구（卓球）

테니스（テニス）

◆ 타다（乗る）を用いる単語

스노우보드（スノーボード）

스케이트（スケート）

스키（スキー）

직업

가수(歌手)

간호사(看護師)

경찰관(警察官)

공무원(公務員)

기자(記者)

미용사(美容師)

배우(俳優)

번역가(翻訳家)

변호사(弁護士)

선생님(先生)

소방관(消防士)

약사(薬剤師)

요리사(料理人)

운전사(運転手)

의사(医者)

작가(作家)

통역사(通訳士)

회사원(会社員)

색/색깔

갈색(茶色)

검은색/까만색(黒色)

금색(金色)

노란색(黄色)

녹색/초록색(緑色)

보라색(紫色)

분홍색(桃色)

빨간색(赤色)

은색(銀色)

주황색(橙色)

연두색(黄緑色)

파란색(青色)

하늘색(水色)

하얀색/흰색(白色)

회색(灰色)

著者略歴

・洪 妍定（ホン　ヨンジョン）
韓国京畿道生まれ。韓国語教育学博士（延世大学）。
韓国の弘益（ホンイク）大学、島根県立大学、広島修道大学、名城大学で非常勤講師、愛知淑徳大学外国語教育部門韓国語専任講師を経て、現在は神田外語大学外国語学部アジア言語学科韓国語専攻の語学専任講師。

・全 相律（ジョン　サンリュル）
韓国大邱生まれ。文部科学省研究留学生として来日。東京大学大学院総合文化研究科言語情報科学専攻修士課程を経て博士後期課程単位取得満期退学。
嘉悦大学、慶應義塾大学、神田外語大学、神奈川大学、帝京大学、上智大学で非常勤講師を経て、現在は神田外語大学外国語学部アジア言語学科韓国語専攻の語学専任講師。

・申 知元（シン　ジウォン）
韓国ソウル生まれ。国際コミュニケーション博士（青山学院大学）。
昭和女子大学、フェリス女学院大学、青山学院大学で非常勤講師、神田外語大学アジア言語学科韓国語専攻の語学専任講師を経て、現在は神田外語大学国際コミュニケーション学科講師。

よくばり韓国語単語帳初級 1500

初版発行　2024年3月29日

著　　者　洪 妍定・全 相律・申 知元
日本語監修　北琢磨
発 行 人　中嶋 啓太

発 行 所　博英社
　　　　　〒 370-0006 群馬県 高崎市 問屋町 4-5-9 SKYMAX-WEST
　　　　　TEL 027-381-8453 / FAX 027-381-8457
　　　　　E・MAIL hakueisha@hakueishabook.com
　　　　　HOMEPAGE www.hakueishabook.com

ISBN　　　978-4-910132-49-5

＊乱丁・落丁本は、送料小社負担にてお取替えいたします。
＊本書の全部または一部を無断で複写複製（コピー）することは、著作権法上での例外を
　除き、禁じられています。